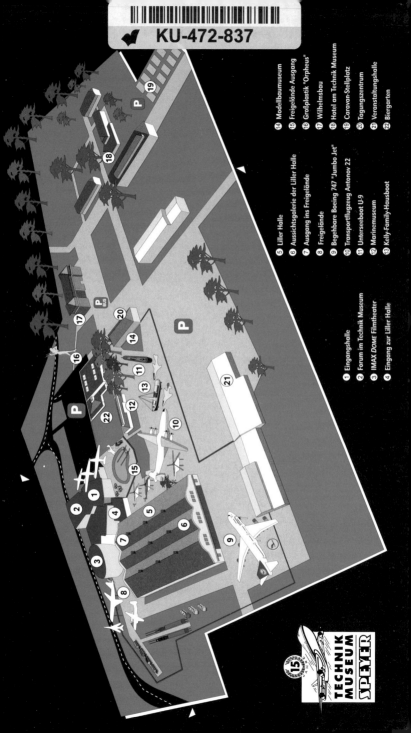

KU-472-837

1 Eingangshalle
2 Forum im Technik Museum
3 IMAX *DOME* Filmtheater
4 Eingang zur Liller Halle
5 Liller Halle
6 Aussichtsgalerie der Liller Halle
7 Ausgang ins Freigelände
8 Freigelände
9 Begehbare Boeing 747 "Jumbo Jet"
10 Transportflugzeug Antonov 22
11 Unterseeboot U-9
12 Marinemuseum
13 Kelly-Family-Hausboot
14 Modellbaumuseum
15 Freigelände Ausgang
16 Großplastik "Orpheus"
17 Wilhelmsbau
18 Hotel am Technik Museum
19 Caravan-Stellplatz
20 Tagungszentrum
21 Veranstaltungshalle
22 Biergarten

TECHNIK
MUSEUM
SPEYER

15 Jahre Technik Museum Speyer

Es ist uns eine große Freude, Ihnen zum 15-jährigen Jubiläum des Technik Museum Speyer eine Sonderausgabe unseres Museumsführers präsentieren zu können, der nicht nur die Ausstellungen beschreibt sondern auch einige der wichtigsten Ereignisse der Museumsgeschichte Revue passieren lässt.

Das Technik Museum Speyer hat seinen Ursprung im Auto & Technik Museum Sinsheim. Als zu Beginn der 1990er Jahre die Erweiterungsmöglichkeiten in Sinsheim fast erschöpft waren, bot sich die einmalige Gelegenheit, im Zentrum von Speyer auf dem Gelände der ehemaligen Pfalz-Flugzeugwerke ein zweites Museum zu errichten. **Heute freuen wir uns über mehr als 700 000 Besucher im Jahr**, die auf über 16 000 qm Hallenfläche und 150 000 qm Freigelände **absolute Weltsensationen** erleben können, darunter eine Antonov 22, das größte propellergetriebene Transportflugzeug der Welt, ein 466 Tonnen schweres U-Boot der Bundesmarine und einen »Jumbo Jet« in Flugposition, alle natürlich voll begehbar.

Wie das Museum Sinsheim wird auch das Museum Speyer seit der Anfangszeit vom gemeinnützigen **Auto & Technik Museum e.V.** getragen, dem rund **2000 Mitglieder aus der ganzen Welt** angehören. Die Finanzierung erfolgt bei beiden Museen allein aus Mitgliedsbeiträgen, Spenden und den Eintrittsgeldern. Alle Überschüsse werden zum Ausbau des Museums verwendet. **Mitglied kann bei uns jeder werden** der sich für Technik interessiert und Freude an dem hat, was wir tun. Auch **Firmen** und **Institutionen** sind in unserem Verein **willkommen**. Einen **Aufnahmeantrag** und weitere Informationen finden Sie **am Ende dieses Museumsführers**.

Zum riesigen Erfolg haben die Vereinsmitglieder entscheidend beigetragen, von denen mehr als 90 unser Museum vom ersten Tag an begleitet haben. Viele Großaktionen der letzten Jahre wie der Erwerb des »Jumbo Jets« oder der Antonov 22 wären ohne unser Mitglieder-Netzwerk kaum möglich gewesen. Außerdem werden viele der jährlichen Veranstaltungen im Museum Speyer von den Vereinsmitgliedern organisiert.

Auch das Museumskonzept, das sich ganz an den Bedürfnissen der Besucher orientiert, ist im ständigen Dialog mit den Vereinsmitgliedern entstanden. Im Gegensatz zu anderen Museen sind die Ausstellungen bei uns nicht nach wissenschaftlichen Kriterien gegliedert, sondern möglichst abwechslungsreich gestaltet. Auf diese Weise erleben Sie beim Rundgang durch das Museum ständig etwas Neues. **Zahlreiche Sonderausstellungen** und der häufige Austausch von Exponaten, die zumeist **Leihgaben von privaten Eigentümern** sind, sorgen dafür, dass es bei uns niemals langweilig wird.

Familienfreundlichkeit wird bei uns groß geschrieben. Auf unserem Freigelände bieten wir **Spielmöglichkeiten für Kinder** und in unseren **Restaurants** können Sie bei einem guten Essen das Gesehene nochmals Revue passieren lassen, oder sich für einen weiteren Rundgang stärken. Eine Weltsensation ist das **IMAX DOME** Filmtheater, in dem Sie **spektakuläre Filme** auf einer **gigantischen Kuppelleinwand** mit einer Fläche von **nahezu 1000 qm** erleben können. Doch damit genug der Vorrede. Wir alle vom Museum wünschen Ihnen jetzt viel Spaß bei Ihrem Rundgang durch das Technik Museum Speyer.

15 Years Technik Museum Speyer

It is a great pleasure for us to present to you this special edition of our museum guide which not only describes our exhibitions but also summarizes some of the most important events of the Museum's history.

The Technik Museum Speyer has its origins in the Auto & Technik Museum Sinsheim. In the early 1990s, when the possibilities of expansion in Sinsheim were nearly exhausted, the opportunity to build a second Museum in the very center of Speyer, on the premises of the former Pfalz-Aircraft Company came as a rare and fortunate chance. **Today we are happy and proud to welcome more than 700,000 visitors a year** who can experience **absolute world-sensations** on an indoor area of 15,000 sqm and open-air grounds of 10,000 sqm, among them an Antonov 22, the biggest transport plane of the world with propeller drive, a submarine of the Federal Navy weighing 466 tons, and a »Jumbo Jet« in flight position. Every one of them, of course, open to the public.

From the outset both the Museum Sinsheim and the Museum Speyer were sponsored by the **Auto & Technik Museum e.V.**, a non-profit-making organization with roughly **2,000 members from all over the world**. The financing is based exclusively on membership subscriptions, donations and the admission charges. All surplus funds are applied to the advancement of the Museum. **Everyone** who is interested in technology and enjoys what we are doing **can become our member. Companies**

and **institutions** are also **welcome** as members of our organization. You will find a **membership application** together with further infor-mation **at the end of this Museum Guide**.

The members of our society, of which more than 90 have accompanied the Museum from its first days, played a decisive role in creating its huge success. Many major actions of the last years, like the acquisitions of the »Jumbo Jet« and the Antonov 22 would have hardly been possible without our membership-network. Moreover, many events taking place each year in the Museum are being organized by the members of our society.

Even the Museum's concept, which is orientating closely to the requirements of our visitors, was created in constant dialogue with the members of our organization. Contrary to the concepts of other museums, our exhibitions are arranged to offer a wide variety, rather than adhering to academic criteria. This way, when touring our Museum you are constantly experiencing new impressions. **Numerous special exhibitions** as well as the exchange of exhibits, mostly on **loan from private owners**, take care of diversion and entertainment on each and every new visit to our Museum.

Family orientated features are very important to us. In our open air grounds we are offering **playgrounds for children** and in our **restaurants** you have the possibility to relive the highlights of your visit while enjoying a meal or to recharge your batteries for a further tour. A world sensation is the **IMAX DOME movie theater** where you can enjoy the experience of **spectacular movies** on a **gigantic dome screen** with an area of **almost 1000 sqm**. But let's be done with introductions now. Have fun, and all of us here hope that you enjoy your tour of the Museum.

1991: Feierliche Eröffnung des Technik Museum Speyer.
1991: Grand opening of the Technik Museum Speyer.

1992: Traktor-Pulling auf dem Freigelände.
1992: Tractor-pulling in the open-
air grounds.

1993: Nach einer mehrwöchigen
Fahrt, die in Wilhelmshaven be-
gann, erreicht die U-9 das Technik
Museum Speyer.

1993: After a several weeks journey
that started in Wilhelmshaven the
U-9 reaches the Technik Museum
Speyer.

1993: In einem ehemaligen Werkstattgebäude auf dem Freigelände wird eine Marineausstellung eingerichtet.

1993: A maritime museum is set up in a former workshop building in the open air grounds.

1994: Ein Großteil der Sammlung mechanischer Musikinstrumente wird im »Automaten Musiksalon« zusammengefasst.

1994: A large part of the collection of automatic musical instruments is combined in the »Automaten Musiksalon«.

1995: Fertigstellung des ersten Gebäudes des »Hotel am Technik Museum«.

1995: The first building of the »Hotel am Technik Museum« is completed.

Nach Erweiterungen in den Jahren 1997 und 1999 bietet das Hotel heute 105 Zimmer in drei Gebäuden.

After extensions in 1997 and 1999 the hotel now offers 105 rooms in three buildings.

7

1995: Das erste IMAX Filmtheater wird nach kurzer Bauzeit in Betrieb genommen.
1995: After a short construction period the first IMAX movie theater is put into operation.

1997 - 2000: Das ehemalige Verwaltungsgebäude der »Pfalz Flugzeugwerke« auf dem Museumsgelände wird zum »Wilhelmsbau« umgebaut. Nach der Errichtung der Groß-plastik »Orpheus« wurde das Gebäude in Anwesenheit des Innenministers von Rhein-land-Pfalz und des Speyerer Oberbürgermeisters seiner Bestimmung übergeben.

1997 - 2000: The former administration building of the »Pfalz Flugzeugwerke« on the premises of the Museum is converted to the »Wilhelmsbau«. After erection of the towering sculpture »Orpheus«, the building was opened in the presence of the Minister of the Interior of Rheinland-Pfalz and the Mayor of Speyer.

1997: Die riesige chinesische Dampf-lokomotive »Qian Jin« wird vom »Ver-kehrshaus« in Luzern nach Speyer transportiert.

1997: The huge Chinese steam lo-comotive »Qian Jin« is transported from the »Verkehrshaus« in Lucerne to Speyer.

1997: Bau des 1. IMAX DOME Filmtheaters in Deutschland in Speyer.
1997: Construction of Germany's first IMAX DOME movie theater in Speyer.

1998: Die Luftfahrtausstellung wird um einen russischen Kampfhubschrauber vom Typ Mil Mi-24P erweitert.

1998: The aviation exhibition is complemented by a Mil Mi-24P combat helicopter.

1999: Ein gigantisches Antonov An-22 Transportflugzeug, das größte Propellerflugzeug der Welt, landet auf dem Flugplatz Speyer und wird anschließend ins Museum transportiert. Der Laderaum kann heute für Veranstaltungen gebucht werden.

1999: A gigantic Antonov An-22 transport plane, the largest propeller-driven aircraft in the world, lands on the airfield Speyer and is transported into the Museum. Today, the cargo bay can be booked for events.

1999: Das Museum erwirbt die »Bremen IV«, das größte seetüchtige Modellschiff der Welt.

1999: The Museum acquires the »Bremen IV«, the largest seaworthy model ship in the world.

1999: Das Freigelände wird komplett neu gestaltet.

1999: The open air grounds are completely redesigned.

2000: Das Hotel wird um einen Caravan-Stellplatz mit 90 Plätzen erweitert.

2000: The Hotel is extended by a caravaning site with 90 spaces.

2000: Nach dem Umzug der Musikautomaten in den Wilhelmsbau wird im Obergeschoss des ehemaligen Automaten Musik Salon ein Modellbaumuseum eingerichtet.

2000: After the automatic musical instruments moved to the Wilhelmsbau a model museum is set up in the upper floor of the former Automaten Musik Salon.

2001: Die Eingangshalle des Museums wird neu gestaltet.

2001: The entrance hall of the Museum is newly designed.

2001: Ein perfekt restauriertes Me-109 Jagdflugzeug aus dem 2. Weltkrieg kommt als Leihgabe ins Museum.

2001: A perfectly restored Me-109 fighter plane from WW II is given to the Museum as a loan.

2002: Ankunft des »Museums-Jumbo«. Zum ersten Mal in der Luftfahrtgeschichte wird ein »Jumbo Jet« zerlegt und auf dem Landweg transportiert.

2002: Arrival of the »Museums Jumbo«. For the first time in aviation history a »Jumbo Jet« is dismanteled and transported by land.

2003: Der »Jumbo Jet« wird in Flugposition auf dem Freigelände aufgebaut und dem Museum von der Lufthansa feierlich übergeben.

2003: The »Jumbo Jet« is set up in the open air grounds in flight position and handed over from the Lufthansa to the Museum in a small ceremony.

2003: Das Museum wird Produktionsstandort der Fernsehsendung »Rasthaus«.

2003: The Museum becomes the production location for the TV telecast »Rasthaus«.

*2003: In unmittelbarer Nachbar-
schaft des Hotels wird ein Tagungszentrum eröffnet.*

*2003: In direct neighbourhood of the
hotel a conference center is opened.*

*2004: Das Hausboot der bekannten Popgruppe
»Kelly Family« kommt ins Museum.*

*2004: The house boat of the famous pop group
»Kelly Family« comes into the Museum.*

*2004: Das Museum ist Gastgeber für das weltgrößte Treffen von Mercedes SL
Automobilen.*
2004: The Museum hosts the worldwide largest meeting of Mercedes SL automobiles.

*2005: Eröffnung des neuen Forum
mit 350 Sitzplätzen, das für Vorträge,
Versammlungen und Präsentationen
genutzt werden kann.*

*2005: Opening of the new auditorium
with 350 seats which can be used for
lectures, meetings and presentations.*

Prominente zu Besuch im Technik Museum Speyer

Celebrities on visit in the Technik Museum Speyer

Reinhold Messner und Robert Schauer

Hans Kammerlander

Rüdiger Nehberg

Markus Wasmeier

Umberto Masetti

Der Rundgang zu dem wir Sie einladen möchten beginnt im Museums-foyer, in dem Sie ihre Eintrittskarte gelöst haben. Eine gute Orientie-rungshilfe auf Ihrem Weg bietet der Übersichtsplan auf der ersten Seite dieses Führers. Wir werden uns im folgenden auf die Nummerierung im Übersichtsplan beziehen. Die Eingangshalle ist der Punkt 1.

Zunächst sollten Sie sich aber noch etwas umschauen. In der Eingangs-halle finden Sie z.B. unser Museumsrestaurant mit einer reichhaltigen Auswahl an Speisen und Getränken, Fahr- und Abenteuersimulatoren sowie unseren Shop mit Museumsartikeln wie dem Museumsbuch, der Museums-CD-ROM, Postkarten, Videos, DVDs, Büchern, Modellen und

Blick in den Museumsshop (links) und den Vorführraum des IMAX DOME (rechts). The Museums Shop (left) and the projector room of the IMAX DOME (right).

vielem mehr. Des weiteren befinden sich hier das »Forum im Technik Museum«, ein großes Auditorium für Veranstaltungen (Übersichtsplan Punkt 2), und das IMAX *DOME* Filmtheater (Übersichtsplan Punkt 3) in dem im stündlichen Wechsel faszinierende Filme für die ganze Familie in einem weltweit einzigartigen Großformat auf einer gigantischen Kuppeleinwand gezeigt werden (siehe die folgenden Seiten). Ein einmaliges Erlebnis, das Sie sich nicht entgehen lassen sollten.

The tour on which we are welcoming you now starts in the lobby of the Museum where you have bought your ticket. A good assistance to direct you on your tour is the survey plan or map on the first page of this guide. Following hereafter we will refer to the numbers in the map. The lobby hall is point 1.

First of all, however, you should take some time to look around, for our lobby is much more than a mere entry hall. It is here that you will find our restaurant, driving- and adventure simulators as well as our Shop with articles from the Museum as the Museum Book, the Museum-CD-ROM, picture postcards, videos, DVDs, books, models and many more items. And here in the lobby you will also find the entrance to the »Forum in the Technik Museum«, a large auditorium for events (survey map point 2), and the IMAX *DOME* movie theater (survey map point 3) which shows fascinating movies for the whole family in a worldwide unique giant size on a gigantic dome screen (hourly changing program; see the following pages). An unequalled experience that you should not miss.

Das **IMAX** *DOME* Filmtheater
The **IMAX** *DOME* Movie Theater

Der Zuschauerraum des IMAX DOME. Durch die gewaltige Kuppelleinwand haben die Besucher das Gefühl, sich mitten in der Filmhandlung zu befinden.

The auditorium of the IMAX DOME. Due to the gigantic dome screen the visitors have the imagination that they are in the center of the movie action.

• Großbild-Filmtheater mit Kuppelprojektion, Basis-durchmesser der Kuppel 24 Meter, Projektionsfläche 1000 qm (entspricht der Fläche von 2 Bauplätzen!)

• 22.000 Watt 6-Kanal-Tonsystem mit unglaublichem Sound, drei Tonnen schwerer Hochleistungsprojektor mit Fischaugenoptik

Das **IMAX DOME** Filmtheater zeigt im stündlichen Wechsel spektakuläre Filme für die ganze Familie. Fragen Sie im Museum nach dem aktuellen Filmprogramm oder lernen Sie **IMAX** kennen und besuchen Sie die tägliche, kostenlose Sondervorstellung unseres **IMAX**-Kurzfilms »Klassiker«.

• Large format movie theater with dome-projection, dome-basis diameter 24 meters, projection area 1000 sqm (equals the dimension of two construction sites!)

• 22.000 Watt, 6-channel sound system with an incredible sound, high-performance fish-eye lens projector weighing three tons

The **IMAX DOME** movie theater presents spectacular films for the whole family on an hourly changing basis. Inquire at the Museum for the current film program or get to know **IMAX** by visiting the daily, free special showing of our **IMAX** short film »Klassiker«.

Aktuelle Filme im

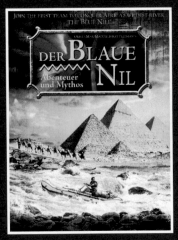

Eine Reise rund um die Welt zu einigen der exotischsten und schönsten Plätze der Erde.
FSK: Ohne Altersbeschränkung.

Erleben Sie eines der größten Abenteuer unserer Zeit - eine 5000 km lange Expedition auf dem Nil.
FSK: Ohne Altersbeschränkung.

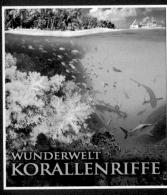

Begeben Sie sich auf eine Reise zu den schönsten, aber auch bedrohten Korallen-riffen des Südpazifiks - Eine Symbiose aus Kunst, Wissenschaft und Unterhaltung.
FSK: Ohne Altersbeschränkung.

Nehmen Sie Platz und geniessen Sie die rasante Flugshow der „Blue Angels", der weltberühmten Kunstfliegerstaffel der US-Navy.
FSK: Ohne Altersbeschränkung.

IMAX® Speyer*

Erforschen Sie mit zwei Wissenschaftlern die Lebensweise der intelligenten Meeressäuger. FSK: Ohne Altersbeschränkung.

In „Cosmic Voyage" werden die Besucher Augenzeuge des Urknalls. Sie erleben, wie sich unser Sonnensystem entwickelte und das erste Leben auf dem Planeten Erde entstand. FSK: Ab 6 Jahren.

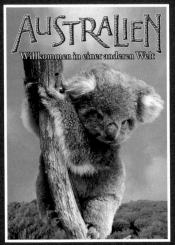

Kommen Sie mit in das „Land Down Under". Freuen Sie sich auf den Schabernack einzigartiger Kreaturen: Känguruhs, Koalas, Schnabeltiere und Opossums.
FSK: Ohne Altersbeschränkung.

*Alle Filme in deutscher Sprache. Änderungen vorbehalten. Diese Seiten zeigen nur eine Auswahl des Gesamtprogramms. Informationen zum aktuellen Programm erhalten Sie im Museum, telefonisch oder im Internet.

Die erste Station auf unserem Weg ist die lichtdurchflutete, als »Liller Halle« bezeichnete große Ausstellungshalle des Museums (Übersichtsplan Punkt 5). Der Halleneingang mit den Drehkreuzen befindet sich vom Haupteingang aus gesehen links hinten im Foyer (Übersichtsplan Punkt 4). Gehen Sie nach den Drehkreuzen geradeaus weiter in die Halle. Das Bild ganz oben zeigt den Eingangsbereich. Gehen Sie dort am besten nach links. Mit Ausnahme des Wilhelmsbaus können Sie alle Museumsteile von der »Liller Halle« aus erreichen.

The first stop on our way is a hall flooded with light, the large exhibition hall of the Museum known as »Liller Halle« (survey map point 5). Seen from the main entrance, the entrance to this hall with turnstiles is situated on the left at the rear of the lobby (survey map point 4). Pass the turnstiles and continue straight into the hall. The topmost picture shows the entrance area. From there you should take a left. With the exception of the Wilhelmsbau you can reach all parts of the Museum from the »Liller Halle«.

Die denkmalgeschützte »Liller Halle« ist ein markantes Beispiel der Industriebaukunst zwischen Jahrhundertwende und 1. Weltkrieg.

- Erbaut 1913 in Lesquin / Lille für die Firma Thomson, Houston.
- Abgebaut während des 1. Weltkriegs durch deutsche Truppen.
- Transport nach Speyer und Wiederaufbau für die Pfalz-Flugzeugwerke, die hier 2500 Flugzeuge fertigten.
- Nach dem 1. Weltkrieg bis 1930 Nutzung durch französische Truppen.
- Von 1937 bis Anfang 1945 diente sie den Flugzeugwerken Saarpfalz als Werkstatt für alle gängigen Flugzeugtypen.

• Von März 1945 bis 1984 kam es erneut zu einer militärischen Nutzung durch französische Truppen.

Im August 1990 begannen die Renovierungsarbeiten durch das Technik Museum Speyer. Am 11. April 1991 wurde das Gebäude als Ausstellungshalle in Betrieb genommen. In der »Liller Halle« sind insbesondere Flugzeuge, Lokomotiven, Oldtimer, Motorräder, Feuerwehrfahrzeuge und selbstspielende Orchestrien ausgestellt.

The »Liller Halle«, a most impressive exhibition building at the Technik Museum Speyer classified as a historical monument, is an example of industrial architecture between the turn of the century and WW I.
• Built in 1913 at Lesquin / Lille for the Thomson Co., Houston.
• Dismantled by German troops during WW I.
• Transport to Speyer and reconstruction for the airplane makers Pfalz-Flugzeugwerke who built 2500 planes at these premises.
• After WW I up to 1930 the building was used by the French Army.
• From 1937 until early 1945 the airplane makers Saarpfalz used it as a workshop for all common types of plane.
• From March 1945 through 1984 it was once more used by French troops.

In August of 1990 renovation work was commenced by the Technik Museum Speyer. Grand opening of the building as an exhibition hall was on April 11, 1991. In the »Liller Halle« the museum presents in particular aircraft, locomotives, vintage cars, motorbikes, fire engines and automatic playing orchestrions.

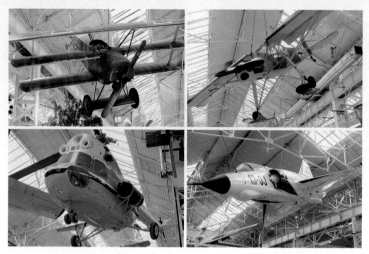

Von links oben im Uhrzeigersinn: Fokker DR 1, Fieseler »Storch«, Mil Mi-2, Mirage III E.
Clockwise from top left: Fokker DR 1, Fieseler »Stork«, Mil Mi-2, Mirage III E.

Speyer hat eine lange Tradition im Flugzeugbau, und auch die »Liller Halle« ist viele Jahre für die Fertigung und Wartung von Flugzeugen genutzt worden. Entsprechend bilden Flugzeuge einen Schwerpunkt der Ausstellungen im Technik Museum Speyer, sowohl in der Halle als auch auf dem Freigelände. Einige Beispiele für die in der Halle ausgestellten Flugzeuge und Hubschrauber zeigen die Bilder auf dieser und auf den vorangegangenen Seiten. Auf das Freigelände werden wir im weiteren Verlauf des Rundgangs noch eingehen. Weitergehende Informationen zu den Flugzeugen und den anderen im Museum gezeigten Exponaten finden Sie auf den Hinweistafeln sowie in unserem Museumsbuch.

Speyer has a long tradition in aircraft production, and the »Liller Halle« has also been serving for many years as a building where airplanes were produced and serviced. Accordingly, one main focus of the exhibitions in the Technik Museum Speyer is on aircraft, in both the hall and the open-air grounds. Some examples of the planes and helicopters on exhibition in the hall are shown in the pictures on this and the previous pages. We will deal with the open-air grounds in the course of the further tour. Further information on the planes and other exhibits shown in the Museum can be found on the sign boards and in our Museum Book.

Für die Freunde historischer Automobile gibt es in der »Liller Halle« ebenfalls viel zu entdecken. Über 50 Oldtimer der unterschiedlichsten Epochen sind hier ausgestellt. Mehr als 300 weitere Oldtimer finden Sie in unserem Schwestermuseum, dem Auto & Technik Museum Sinsheim, nur 30 Autominuten von Speyer entfernt. Ein Teil der Fahrzeuge wird ständig ausgetauscht, so dass es immer wieder etwas neues zu bestaunen gibt. Für zusätzliche Abwechslung sorgen zahlreiche Sonderausstellungen, die einer speziellen Marke oder einer besonderen Epoche gewidmet sind, sowie die insbesondere von unseren Vereinsmitgliedern organisierten Aktionen wie Oldtimer-Ausfahrten und Clubtreffen. Aktuelle Informationen über Sonderausstellungen und andere Neuigkeiten finden Sie auf unseren Internetseiten unter der Adresse www.technik-museum.de.

In the »Liller Halle« there is also a lot to discover for the fans of historic automobiles. On exhibit are more than 50 vintage cars from various different periods. You will find more than 300 historic- and vintage cars in our sister-museum the Auto & Technik Museum Sinsheim located a mere 30 minutes by car from Speyer. Part of the vehicles are being exchanged on a regular basis to provide for diversion and constantly new discoveries. Further diversions are offered by numerous special exhibitions devoted to particular brands or periods as well as vintage-car rallies and club meetings organized by the members of our society. For current affairs information about special exhibitions and other events please visit us in the internet under www.technik-museum.de.

Gegenüberliegende Seite: Rolls-Royce »Silver Ghost« von 1924 (links) und Rolls-Royce 20 / 25 HP von 1930 (rechts). Oben: Jaguar SS von 1937 (links) und Maybach »Zeppelin« von 1930.

Opposite page: 1924 Rolls-Royce »Silver Ghost« (left) and 1930 Rolls-Royce 20 / 25 HP (right). Top: 1937 Jaguar SS (left) and 1930 Maybach »Zeppelin«.

Wenn Sie, wie vorgeschlagen, am Halleneingang links abgebogen sind, sehen Sie auf Ihrem Weg durch die Halle auf der linken Seite Treppen, die auf die Aussichtsgalerie (Übersichtsplan Punkt 6) hinauf führen. Von der Galerie haben Sie einen hervorragenden Überblick über die Halle. Besonders ins Auge fällt dabei die im Bild oben gezeigte automatisch spielende Großorgel, eine Welte Philharmonie aus dem Jahr 1916. Die vielen mechanischen Musikinstrumente sind eine Besonderheit des Technik Museum Speyer. Die meisten befinden sich im Wilhelmsbau, den wir später noch kennenlernen werden. In der »Liller Halle« sind neben der Welte Philharmonie noch eine Reihe anderer Großinstrumente ausgestellt. Sie spielen auf Wunsch populäre Melodien, ein Erlebnis das Sie sich nicht entgehen lassen sollten.

If you did turn left at the hall entrance, as suggested, the tour through the hall will bring you, at the left, to a staircase leading to the observation gallery (survey map point 6) and an excellent view of the exhibition. A special eye-catcher is the auto-playing calliope shown in the picture above, a Welte Philharmonie Organ from 1916. The numerous automatic musical instruments are a specialty of the Technik Museum Speyer. Most of them are on exhibit in the Wilhelmsbau, to which we will revert later on in this guide. Besides the Welte Philharmonie the exhibits in the »Liller Halle« are comprising a number of other large instruments as well, which will play popular melodies upon request. An experience that you should not miss.

Oben: Mortier 101 Tanzorgel - die breiteste Tanzorgel der Welt (12,5 m). Darunter: Etagenkarussell ca. 1850 mit einer Orgel der Fa. Bruder / Waldkirch.

Top: Mortier 101 dance organ - the widest dance organ in the world (12.5 m). Below: Two floor carousel built around 1850 equipped with an organ of the Bruder Company / Waldkirch (Black Forest).

Von der Galerie können Sie noch eine weitere Spezialität des Museums überblicken, die Sammlung historischer Feuerwehrfahrzeuge, die von den Anfängen der Löschfahrzeuge bis zur Jetztzeit reicht. Mit mehr als 40 Fahrzeugen ist die Feuerwehrensammlung im Technik Museum Speyer eine Sensation nicht nur für Feuerwehr-Fans. Ganz besondere Raritäten sind die riesigen Fahrzeuge aus den USA, insbesondere von Ahrens-Fox, die in dieser Vielfalt nirgendwo sonst in Europa zu sehen sind. Der älteste Wagen stammt aus dem Jahr 1916 und ist damit das älteste voll funktionsfähige amerikanische Feuerwehrfahrzeug in Europa. In den zahlreichen Vitrinen werden zusätzlich viele Ausrüstungsgegenstände von Feuerwehren aus der ganzen Welt gezeigt.

From the gallery you can also view a further specialty of the Museum, the collection of historic fire engines, reaching from the beginnings of fire extinguishers up to the present time. With more than 40 vehicles the fire engine collection of the Technik Museum Speyer is a sensation, not only for fans of fire fighters. Special rarities are the huge engines from the USA, particularly by Ahrens-Fox, that cannot be found in this variety anywhere else in Europe. The oldest vehicle is from the year 1916 and thus the oldest, fully operational American fire engine in all of Europe. In addition, numerous show cases are displaying a wide range of equipment from fire fighters all over the world.

Oben: Ahrens-Fox »H-T« von 1948 (links) und Seagraves
Pumpenwagen von 1929 (rechts). Unten: Ahrens-Fox
MK-4 von 1916, das älteste noch voll funktionsfähige
amerikanische Feuerwehrfahrzeug in Europa.

Top: 1948 Ahrens-Fox »H-T« (left) and 1929 Seagraves
Pumper (right). Below: 1916 Ahrens-Fox MK-4, the oldest
fully operational American fire engine in Europe.

Oben: Krupp Schnellzuglokomotive von 1937. Unten: Hanomag Dampflokomotive G 81 von 1915 (links) und Güterzuglok der Maschinenfabrik Esslingen von 1944 (rechts).

Top: 1937 Krupp fast train locomotive. Below: 1915 Hanomag steam locomotive G 81 (left) and freight train locomotive built in 1944 by the Maschinenfabrik Esslingen (right).

Auch für Eisenbahnfreunde hat das Museum viel zu bieten. Über 20 Lokomotiven können in der »Liller Halle« und auf dem Freigelände besichtigt werden. Einige Beispiele für die Lokomotiven in der Halle zeigt diese Seite. Auf die im Freigelände gezeigten Exponate werden wir später eingehen.

The Museum also has a lot in store for railway fans. More than 20 locomotives can be admired in the »Liller Halle« and the open-air grounds. Some examples of the locomotives in the hall are shown on this page. The exhibits shown in the open-air grounds will be dealt with later on.

TAGEN UND FEIERN SIE IN UNSEREN MUSEEN

- In den Museen Sinsheim und Speyer bieten wir in einer einmaligen Umgebung einen perfekten Service für Veranstaltungen aller Art, von der Familienfeier bis zur Firmenpräsentation.

- Eigene Restaurants mit abtrennbaren Bereichen für geschlossene Gesellschaften, Kaffee-, Getränke- und Gebäckservice. Die Museumshallen können für Empfänge genutzt werden.

- In Sinsheim und Speyer stehen insgesamt sechs Tagungsräume, zwei Veranstaltungshallen und das »Forum im Technik Museum« für bis zu 350 Personen zur Verfügung. Spezielle Tagungstechnik auf Anfrage.

- Komfortable Übernachtungsmöglichkeiten bieten das Hotel am Technik Museum Speyer mit 105 Zimmern sowie das Hotel Sinsheim mit 106 Zimmern und sechs Suiten.

- Rufen Sie uns an und schildern Sie uns Ihre Wünsche. Wir beraten Sie gerne (Technik Museum Speyer Tel. 06232 / 6708-43; Auto & Technik Museum Sinsheim Tel. 07261 / 9299-75).

Auf diesen beiden Seiten möchten wir Sie noch auf einige ausgewählte Ausstellungsstücke aufmerksam machen, die sich auf der Galerie bzw. in der Halle befinden. Wenn Sie Ihren Rundgang durch die »Liller Halle« beendet haben, dann gehen Sie durch den auf dem Übersichtsplan mit dem Punkt 7 gekennzeichneten Ausgang hinaus auf das Freigelände. Dieser Ausgang befindet sich von der Galerie aus gesehen am gegenüberliegenden Hallenende rechts, unmittelbar beim Eingang zum Foyer.

On these two pages we would like to point out a few choice exhibits to you situated on the gallery or in the hall, respectively. Once you have finished your tour of the »Liller Halle«, please proceed to the open-air grounds via the exit marked on the map as point 7. Seen from the gallery this exit is on the opposite, right-hand end of the hall, immediately next to the lobby entry.

Oben: Ausstellung historischer landwirtschaftlicher Geräte auf der Galerie. Links: Einbaum »The Tree«, mit dem der Abenteurer Rüdiger Nehberg 2001 den Atlantik überquert hat.

Top: Historical agricultural equipment shown on the gallery. Left: With this dug-out called »The Tree« the famous German adventurer Rüdiger Nehberg crossed the Atlantic Ocean in 2001.

Oben: Dieselmotor mit Generator aus dem Jahr 1920. Rechts: Die »Bremen IV«, das größte seetüchtige Modellschiff der Welt.

Top: Diesel engine with generator built in 1920. Right: The »Bremen IV«, the largest seaworthy model ship in the world.

Wenn Sie das Freigelände wie oben beschrieben betreten und dann
nach links blicken (Übersichtsplan Punkt 8) erhalten Sie einen ersten
Eindruck von den Sensationen, die Sie hier erwarten: Flugzeuge, viele
davon begehbar, Lokomotiven, Großfahrzeuge, ein begehbares U-
Boot der Bundesmarine, eine Marineausstellung, ein Modellbaumuseum und vieles mehr. Wenn Sie links um die »Liller Halle« herum
laufen, sehen Sie eine absolute Weltsensation, eine voll begehbare
Boeing 747 »Jumbo Jet« (Übersichtsplan Punkt 9), bei der Sie sogar auf
dem Flügel herumlaufen können. Schauen Sie sich etwas um, besichtigen Sie die Antonov An-26 und die Dassault »Mercure« (im Bild oben
links bzw. rechts) und steigen Sie dann zum »Jumbo Jet« hinauf.

Upon entering the open-air grounds as described above and looking
to your left (survey map point 8) you will have a first impression of the
sensations awaiting you here: Airplanes, many of them walk-in craft,
locomotives, heavy-duty vehicles, a walk-in submarine of the Federal
Navy, a nautical exhibition, a model museum and numerous further
objects. Turning left around the »Liller Halle« you will come upon an
absolute world sensation, a totally walk-in Boeing 747 »Jumbo Jet«
(survey map point 9) where you can even take a walk on the wing.
Take time to look around, inspect the Antonov An-26 and the Dassault
»Mercure« (left and right, respectively in the picture above) and then
climb up to the »Jumbo Jet«.

Die voll begehbare Boeing 747 »Jumbo Jet« in Flugposition auf dem Freigelände ist eine absolute Weltsensation.

The Boeing 747 »Jumbo Jet« in flight position on the open air ground, which can be fully visited, is worldwide unique.

Der »Jumbo Jet« im Museum ist das einzige Flugzeug dieses Typs außerhalb eines Flugplatzes und auch das einzige Exemplar das jemals zerlegt und wieder zusammengebaut wurde. Nach der Landung auf dem Flugplatz Karlsruhe/ Baden-Baden wurde das Flugzeug so weit wie möglich demontiert, auf einen Ponton verladen, auf dem Rhein in die Nähe von Speyer gefahren und auf einem Tieflader zum Museumsgelände gebracht. Dort wurde es als weltweit einziger Jumbo in Flugposition auf Stahlstützen montiert. Der Innenraum kann komplett besichtigt werden, sogar einer der Flügel ist begehbar. Die Innenverkleidung wurde teilweise demontiert, um einen Eindruck von der Konstruktion eines solchen Großraumflugzeugs zu geben.

Der gigantische Rumpf des »Jumbo Jet« wurde auf einem Ponton nach Speyer gefahren und dann auf einem Tieflader zum Museum transportiert.

The gigantic fuselage of the »Jumbo Jet« was first driven to Speyer on a pontoon and then transported on a special trailer to the museum.

The »Jumbo Jet« at the Museum is the only craft of its type outside an airfield and also the only specimen to ever have been dismantled and reassembled again. After landing on the Karlsruhe/Baden-Baden airfield the plane was taken to pieces as far as possible, loaded onboard a pontoon, brought on the Rhine to a mooring near Speyer, and was then brought to the museum grounds on a special trailer. There, as the only Jumbo worldwide, it was mounted on steel pylons in flight position. Inside, the craft is completely accessible for inspection and you can even walk outside on one of the wings. Part of the interior paneling has been removed to give an impression of the construction of a wide-bodied aircraft of this kind.

Der Innenraum des »Jumbo Jet« kann komplett besichtigt werden. Die Verkleidungen wurden teilweise demontiert, um die Konstruktion des Flugzeugs zu demonstrieren.

The interior of the »Jumbo Jet« can be fully visited. The lining has been partially dismantled to reveal the construction of the airplane.

Von der Besucherplattform des »Jumbo Jet« haben Sie auch eine hervorragende Aussicht auf das Museumsgelände. Besonders ins Auge springt das gigantische Transportflugzeug Antonov 22 (Übersichtsplan Punkt 10), dass größte Propellerflugzeug der Welt, das Sie als nächstes besichtigen sollten. Die nächste Station auf unserem Rundgang ist dann die U-9 (Übersichtsplan Punkt 11), ein ehemaliges U-Boot der Bundesmarine, das ebenfalls voll begehbar ist.

From the visitors platform of the »Jumbo Jet« you also have an excellent view of the museum grounds. A particular eye-catcher is the gigantic transport plane Antonov 22 (survey map point 10), the largest propeller craft of the world, which you should have a look at next. The next stop on our tour thereafter is the U-9 (survey map point 11), a former submarine of the Federal Navy, which you can also enter for interior inspection.

Die Antonov 22 benötigt nur eine sehr kurze Landebahn und konnte daher auf dem unmittelbar benachbarten Flugplatz Speyer landen.

The Antonov 22 requires only a very short runway and therefore was able to land on the Speyer airfield in direct neighbourhood of the museum.

Oben: Die Antonov 22 kann Lasten bis zu 100 Tonnen transportieren. Rechts: Der Laderaum ist 33 Meter lang und 4,4 Meter breit.

Top: The Antonov 22 can transport cargo with a weight of up to 100 tons. Right: The cargo bay is 33 meters long and 4.4 meters wide.

Die U-9 (Übersichtsplan Punkt 11) kam 1993 nach einem spektakulären See- und Landtransport ins Museum. Das Boot ist rund 46 Meter lang und wiegt 466 Tonnen. Die Nenntauchtiefe betrug 100 Meter. Für den Antrieb sorgten zwei Dieselgeneratoren und ein E-Motor. Die Bewaffnung bestand aus acht Bug-Torpedorohren. Bis zu seiner Ausmusterung hatte die U-9 rund 175 000 Seemeilen zurückgelegt, was einer achtfachen Erdumrundung gleichkommt.

After a spectacular sea and land transport the U-9 (museums map point 11) arrived at the museum in 1993. The boat is 46 meters long and weighs 466 tons. The nominal submerged depth was 100 meters. She was propelled by two diesel generators and one electric motor. Her weapons consisted of eight torpedo guns at the bow. Up to her retirement the U-9 covered altogether about 175,000 nautical miles which equals eight circumnavigations of the globe.

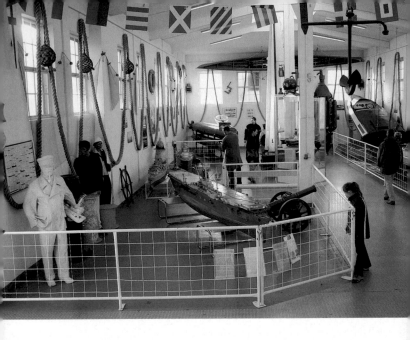

Neben der U-9 zeigt das Museum noch eine Reihe anderer Exponate aus dem Bereich der Seeschifffahrt. Ein großer Teil hiervon befindet sich in einem kleinen Marinemuseum, das vom Freigelände aus zugänglich ist (Übersichtsplan Punkt 12; siehe Bild oben). Sehr interessant sind auch die drei äußerst seltenen Kleinst-U-Boote, die im bzw. vor dem Marinemuseum in der Nähe der U-9 ausgestellt sind.

Apart from the U-9 the Museum is also showing a number of other exhibits from the naval sector, the main part of which is situated in a small nautical museum accessible from the open-air grounds (survey map point 12; see picture above). Among the very interesting objects are the three, very rare mini-submarines on show within and in front of the nautical museum near the U-9.

Kleinst-U-Boot »Biber«. Im Hintergrund ist das Kleinst-U-Boot »Seehund« zu sehen.

Midget submarine »Beaver«. In the background the midget submarine »Seal« is visible.

46

Hotel Ö Sinsheim

★★★★

- 4-Sterne-Hotel, nur wenige Gehminuten zum Auto & Technik Museum Sinsheim
- 112 Doppelbettzimmer, davon vier barrierefrei
- Ausreichend kostenlose Parkplätze direkt vor dem Hotel, auch für Busse
- Alle Zimmer mit Klimaanlage, Schreibtisch, Sat-TV, Telefon, kostenlosem Internet-Anschluss, Dusche, Föhn
- Frühstücksbuffet im Übernachtungspreis inbegriffen
- Drei Konferenz- und Tagungsräume für 15 bis 350 Personen, geeignet für Seminare und Feierlichkeiten
- Professionelles Event-Management
- Wellness-Bereich „Feng Shui" für Gäste kostenlos, Australien Lounge „Arantas", Sonnendeck von Frühling bis Herbst

Hotel Sinsheim · In der Au 25 · 74889 Sinsheim
☎ +49(0)7261/4064-0 · Fax 4064-60
www.hotel-sinsheim.de

Die Kelly Family - wer kennt sie nicht? Mit zahlreichen Hits führten sie viele Jahre die Spitze der Musikcharts an. Auf dem Freigelände des Museum Speyer kann das Hausboot besichtigt werden, in dem die Mitglieder der Kelly Family über viele Jahre gelebt haben (Übersichtsplan Punkt 13). Mit dem immer größer werdenden Erfolg und dem Heranwachsen der Familienmitglieder wurde das Boot zu klein. Die Familie beschloss das Boot zu verlassen, und in größere Räumlichkeiten umzuziehen. Durch Zufall wurde die Kelly Family auf das Museum Speyer aufmerksam und entschloss sich, das Hausboot dem Museum als neues Ausstellungsstück zur Verfügung zu stellen. Im Jahr 2004 wurde das Boot von seinem Liegeplatz in Belgien auf dem Rhein zunächst nach Köln und dann nach Speyer geschleppt, und zum Museumsgelände transportiert. Das 1923 gebaute Boot hat eine Länge von 34 m, es ist 6,30 m breit, hat eine Höhe inkl. Tiefgang von 6 m und ein Gewicht von 185 Tonnen.

Who doesn't know the Kelly Family? For many years they were leading the music charts with numerous hits. On the open air grounds of the Museum Speyer the house boat can be visited in which the members of the Kelly Family lived for many years (survey map point 13) . As success and the family grew, the boat became too small and they decided to move to a more spacious location. By accident the Kelly Family became aware of the Museum Speyer and decided to donate the boat to the museum as a new attraction. In 2004, the boat was hauled up the River Rhine from her berth in Belgium via Cologne to Speyer and transported to the museum's grounds. The house boat, which was built in 1923, is 34 m long, 6.30 m wide, has a height of 6 m and weighs 185 tons.

Auf keinen Fall sollten Sie es versäumen, unserem Modellbaumuseum einen Besuch abzustatten, das ebenfalls vom Freigelände aus zugänglich ist (Übersichtsplan Punkt 14). Hier erwarten Sie tausende naturgetreue Modelle von Flugzeugen, Schiffen, Raumfahrzeugen, Automobilen und vieles mehr. Alle Ausstellungsstücke sind Leihgaben von Modellbauenthusiasten, die oft hunderte von Arbeitsstunden in ihre kleinen Meisterwerke investiert haben.

By no means miss a visit to our model museum which is also accessible from the open-air grounds (survey map point 14). Awaiting you here are thousands of accurate models of airplanes, ships, spacecraft, automobiles and many more objects. All exhibits are on loan from devoted builders of models who have often invested hundreds of painstaking hours into their tiny masterpieces.

Oben: Blick auf das Freigelände mit den Kleinst-U-Booten »Biber« und »Seehund« sowie (von links nach rechts) einem Fragment einer Dornier 24 aus dem Zweiten Weltkrieg, einer MiG 21, einer Fairey »Gannet« und mehreren Großmotoren. Unten: Kampfhubschrauber Mil Mi-14 PL/BT (links) und Mil Mi-24 P (rechts).

Top: View of the open air ground with the midget submarines »Beaver« and »Seal« and (from left to right) a fragment of a Dornier 24 from WW II, a MiG 21, a Fairey »Gannet« and several large engines. Below: Combat helicopters Mil Mi-14 PL/BT (left) and Mil Mi-24 P (right).

Auf dieser und der nächsten Seite möchten wir Sie noch auf einige weitere interessante Ausstellungstücke auf dem Freigelände aufmerksam machen. Wenn Sie Ihren Rundgang über das Freigelände beendet haben verlassen Sie dieses bitte durch den Ausgang beim Teich (Übersichtsplan Punkt 15) und laufen Sie über den Parkplatz zum Wilhelmsbau (Übersichtsplan Punkt 17).

On this and the next page we would like to bring a few further interesting exhibits in the open-air grounds to your attention. Upon completing your tour of the open-air grounds, please leave them via the exit at the pond (survey map point 15) and cross the parking lot to reach the Wilhelmsbau (survey map point 17).

Der Wilhelmsbau

Der Wilhelmsbau (Übersichtsplan Punkt 17) befindet sich nur wenige Schritte von der »Liller Halle« entfernt auf dem Museumsgelände. Sein Wahrzeichen ist die vom Speyerer Bildhauer Wolf Spitzer aus Edelstahl geformte, fünfzehn Meter hohe Großplastik »Orpheus« (Übersichtsplan Punkt 16). Der Wilhelmsbau ist ein faszinierendes Raritätenkabinett mit tausenden Erinnerungsstücken aus dem 19. und 20. Jahrhundert, die den Zeitgeist längst vergangener geglaubter Tage wieder lebendig werden lassen. Der Jugendstil und die wilden Zwanziger Jahre sind hier genauso vertreten wie die Rock`n Roll Ära. Auf vier Stockwerken erwarten Sie u.a.:

- Eine einzigartige Sammlung mechanischer Musikinstrumente mit fünf selbstspielenden Geigen, automatischen Klavieren und Orgeln, Orchestrien, Flötenuhren, Spieldosen und zahlreichen weiteren Raritäten
- Historische Moden und Accessoires
- Juwelen
- Puppen und Spielzeug
- Uniformen, Pickelhauben, Orden und historische Waffen
- Ein Jagdzimmer mit Trophäen aus der ganzen Welt

The Wilhelmsbau (museums map point 17) is located on the museums ground just a few steps away from the »Liller Halle«. Its hallmark is the towering sculpture »Orpheus« (museums map point 16) with a height of 15 meters, created from stainless steel by the local sculptor Wolf Spitzer. The Wilhelmsbau is a fascinating collection of rare objects from the 19th and 20th century bringing alive the spirit of bygone times. Art Nouveau and the Roaring Twenties are represented here just like the era of Rock'n Roll. Among the exhibits awaiting you on four levels are:

- A unique collection of automatic musical instruments with five self-playing violins, automatic pianos and organs, orchestrions, pipe clocks, music boxes and numerous further rarities
- Historical fashion and accessories
- Jewels
- Dolls and toys
- Uniforms, medals and historical weapons
- A hunting room with trophies from all over the world

Der Wilhelmsbau beherbergt eine der größten Sammlungen mechanischer Musikinstrumente, von der winzigen Spieldose bis zum schrankgroßen Orchestrion. Diese befinden sich überwiegend im Erdgeschoss und im Untergeschoss. Das Spektrum der Instrumente reicht von den Anfängen der Musikautomaten, wie den Serinetten und Flötenuhren des ausgehenden 18. Jahrhunderts, bis zu den perfektionierten Reproduktionsklavieren und automatischen Geigen des frühen 20. Jahrhunderts. In kaum einem anderen Museum hat der Besucher die Gelegenheit, die technologische Entwicklung dieser einmaligen Instrumentengattung so hautnah zu erleben.

Was sind überhaupt mechanische Musikinstrumente? Die wesentlichste Eigenschaft der mechanischen Musikinstrumente ist, daß sie Musikstücke selbsttätig spielen können. Dabei ist die Art des Antriebs unerheblich. Entscheidend ist, daß keine künstlerischen Fähigkeiten zum Spielen erforderlich sind. Im folgenden möchten wir Ihnen die Technik der Musikautomaten am Beispiel einiger ausgewählter Instrumente aus dem Wilhelmsbau vorstellen.

The Wilhelmsbau building is housing one of the largest collections of automatic musical instruments, from the tiny music box up to the wardrobe-sized orchestrion. These are mainly located in the basement and the ground floor. The range of instruments on exhibition is unique and reaches from the beginning of music boxes, like the serinettes and flute clocks of the late 18th century up to the perfected reproduction pianos and automatic violins of the early 20th century. There is hardly any other museum offering the visitors an opportunity to observe the technological development of this singular class of instruments as closely as this.

What exactly are automatic musical instruments? Their main feature is that they can play on their own, the mode that activates and controls them is insignificant. The decisive factor is that no artistic skill is necessary for playing. In the following we want to describe the technology of automatic musical instruments using some selected items from the Wilhelmsbau as examples.

Die ältesten mechanisch betriebenen Klangerzeuger die wir kennen sind die Spielwerke von Uhren. Anfänglich handelte es sich um Glockenspiele oder um vom Psalter abgeleitete Harfenuhren, die aber nur sehr einfache Melodien wiedergeben konnten. Eine wesentliche Verbesserung brachten die Flötenuhren und Flötenautomaten, die gegen Ende des 18. Jahrhunderts sehr beliebt waren. Flötenuhren enthalten bereits alle Bauelemente, die ein mechanisches Musikinstrument ausmachen, nämlich einen Antrieb, einen Tonträger und eine Klangquelle. Einige Beispiele aus dem Wilhelmsbau zeigen die Abbildungen auf der gegenüberliegenden Seite. Aus der Zeit vor der Entstehung der Flötenuhren ist uns Musik nur in Form von Noten überliefert. Wie die Werke damals musikalisch interpretiert wurden, wissen wir nicht. Die ersten klingenden Zeitzeugen, die sich bis heute erhalten haben, sind die Flötenuhren. Ihre Steuerwalzen sind die ältesten bekannten Tonträger, und das ist es, was sie so wertvoll macht.

The oldest automatic musical instruments we know are the music mechanisms of clocks. In the beginning those were chimes or harp-clocks, a derivation of the psaltery, but they could only render very simple melodies. A substantial improvement arrived with the flute clocks, which were highly popular in the late 18th century. Flute clocks are already consisting of all component parts belonging to an automatic musical instrument, namely a drive, a sound carrier, and a sound source. Some examples from the Wilhelmsbau are shown on the opposite page. From the time before music has only come down to us in the form of sheet music, and we know nothing about the musical interpretation of the works at that time. The first contemporary witnesses whose sound we can actually hear, and which survived until this day, are flute clocks. Their control cylinders are the first sound carriers we are aware of and that is what makes them so valuable.

Dieses Bild zeigt eine Serinette, eine handbetriebene Frühform der Musikautomaten, die im 17. und 18. Jahrhundert u.a. dazu verwendet wurde, Kanarienvögeln das Singen beizubringen.

This picture is showing a serinette. This hand-operated early model of an automatic musical instrument was popular in the 17th and 18th century and was used, among other purposes, also to teach canaries to sing.

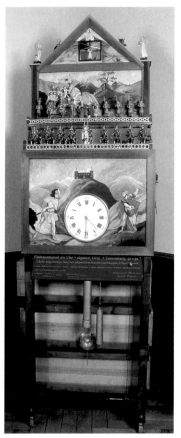

Flötenautomat (links oben) und drei Flötenuhren, die im Wilhelmsbau gezeigt werden.

Flute automat (top left) and three flute clocks that are shown in the Wilhelmsbau.

59

Eine andere frühe Spielart der mechanischen Musikinstrumente waren die Spieldosen. Als Tonträger dient eine von einem Federwerk angetriebene Stiftwalze. Als Klangerzeuger wird meist ein Metallkamm mit unterschiedlich langen Zähnen verwendet. Zur Erzeugung zusätzlicher Klangeffekte wurden manche Spieldosen außerdem mit einem Glockenspiel, Kastagnetten oder Trommeln ausgestattet.

Another, early variety of automatic musical instruments were the musical boxes. A studded cylinder driven by springworks served as a sound carrier. The source of sound used generally was a metal comb with teeth of varying length. To create additional sound effects some musical boxes were equipped besides with chimes, castanets or drums.

Oben: Kunstvoll gefertigte Schweizer Spieldose mit Metallkamm, Glockenspiel und einer kleinen Trommel. Rechts: Sehr große, seltene Zylinderspieldose mit »Engelszungen« (Harmonika-Zungen).

Top: Elaborate musical box from Switzerland with metal comb, chimes and a small drum. Right: Very big and rare cylinder musical box with »angel's tongues« (accordion reeds).

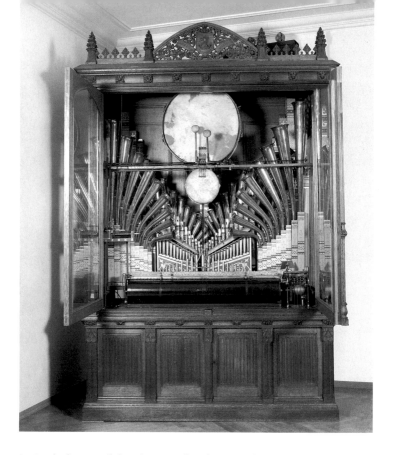

Im Laufe des 19. Jahrhunderts wurden die mit Stiftwalzen gesteuerten Musikautomaten ständig weiterentwickelt. So entstanden schließlich schrankgroße, als Orchestrien bezeichnete Geräte, die mehrere Instrumente gleichzeitig spielen konnten. Das hier gezeigte Orchestrion von 1861, mit Handaufzug und Gewichten als Antrieb, wurde von Imhof & Mukle in Vöhrenbach im Schwarzwald gebaut. Die Instrumentierung besteht aus 260 Pfeifen mit 97 Tonstufen, drei Trommeln und einer Triangel.

The development of music automats controlled by studded barrels kept steadily progressing during the 19th century, until cupboard-size gadgets, referred to as orchestrions, were built that could play several instruments simultaneously. This manually wound orchestrion from 1861 with weights as a drive shown here was built by Imhof & Mukle of Vöhrenbach in the Black Forest. The orchestration is consisting of 260 pipes with 97 degrees, three drums and a triangle.

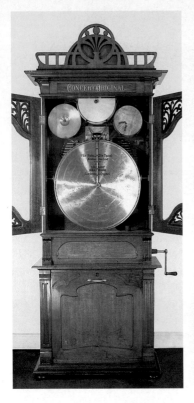

Stiftwalzen als Tonträger hatten mehrere Nachteile. Die Walzen waren sehr teuer und ein Walzenwechsel recht umständlich. Meist stand daher nur eine sehr eingeschränkte Musikauswahl zur Verfügung. Gegen Ende des 19. Jahrhunderts wurden die Walzengeräte daher zunehmend durch Instrumente ersetzt, die durch Metallscheiben gesteuert wurden. Die hier gezeigten Orchestrien, ein Lochmann 300 »Concert Original« von 1901 (links) und ein Polyphon »Mikado« (rechts), markieren Höhepunkte dieser Bauart.

Studded cylinders as sound carriers had several disadvantages. The cylinders were very expensive and to change a cylinder was highly awkward. Thus, more often than not the choice of music available was rather limited. Towards the end of the 19th century, therefore, cylinder instruments were more and more replaced by machines controlled by metal discs. The orchestrions shown here, a 1901 Lochmann 300 »Concert Original« (left) and a Polyphon »Mikado« (right) mark high spots of this design.

Auch die plattengesteuerten Instrumente waren nur eine vorübergehende Erscheinung. Der technische Fortschritt führte bald zur nächsten und auch letzten Entwicklungsstufe, der pneumatischen Steuerung mit gelochten Papierrollen bzw. Kartonbändern als Tonträger. Die Bilder auf dieser Seite zeigen zwei Beispiele für diesen Instrumententyp. Das obere Orchestrion wurde von der Firma Hupfeld aus Leipzig gebaut. Dieses sehr schöne Instrument ist ein Mandolinen-Orchestrion in kleiner Schrankausführung ohne Klaviatur. Das Instrument unten stammt von der Firma Popper und besitzt als Besonderheit eine »Lotosflöte«, eine besondere Kolbenpfeife mit Vibrato.

But disc-operated machines, too, were a temporary phenomenon only. Technical progress soon led to the next and last stage of development, namely pneumatic control by means of perforated paperroll- or cardboard belts, respectively, as sound carriers. The pictures on this page show two examples for this type of instrument. The orchestrion shown at the top was built by Hupfeld in Leipzig. This very beautiful instrument is a small-cabinet mandolin-orchestrion without keyboard. The instrument shown at the bottom was made by Popper. As a special feature it contains a »lotosflute«, a special piston-controlled flute with vibrato.

Eine besondere Attraktion der Sammlung mechanischer Musikinstrumente im Wilhelmsbau sind die fünf selbstspielenden Geigen-Orchestrien mit Papierrollen-Steuerung. Bei der Hupfeld Pfeifengeige von 1912 (Bild unten) wird der Geigenton durch spezielle Pfeifen nachgeahmt. Bei den anderen Hupfeld-Instrumenten werden echte Geigen verwendet. Durch einen rotierenden Bogen wird bei jeder Geige eine einzelne Saite angestrichen, wobei die Tonhöhe mit 10 pneumatisch gesteuerten Greifern festgelegt wird.

Die Bilder auf dieser Seite zeigen oben ein historisches Instrument der Ausführung »A« in einem klassischen Gehäuse, ähnlich einem normalen Orchestrion. Es gehört zu den weltweit ca. zehn authentischen Hupfeld-Geigen, die noch voll spielfähig sind. Die Bilder auf der gegenüberliegenden Seite zeigen ein voll spielfähiges Instrument der späteren Ausführung »B«, bei der die Geigen besser repräsentiert wurden (oben), und ein Instrument mit Doppelgeige (unten), beide mit Klavier. Die Bilder auf der übernächsten Seite oben zeigen ein Instrument der amerikanischen Firma Mills, bei dem eine einzelne Geige ebenfalls mit einem Klavierteil kombiniert wurde.

A particular attraction of the collection of automatic musical instruments in the Wilhelmsbau are the five violin orchestrions with paper-roll control. The Hupfeld pipe violin of 1912 (previous page, bottom) imitates the violin sound using special pipes. In the other Hupfeld instruments three genuine violins are used, which are played by a circular bow stringed with horsehair. The rotating bow is activating a single string of each violin while the pitch is determined by ten pneumatically controlled grippers.

The pictures on the top of the opposite page show a historic instrument of the version »A« with a classic cabinet similar to a usual orchestrion. It belongs to the approximately 10 original automatic Hupfeld violins that are still fully operational. The pictures on this page show a fully playable specimen of the later model »B«, in which the built-in violins were better represented (top), and an instrument with two violin parts (bottom). The pictures on top of the next page show an instrument built by the American company Mills, which combines a single violin also with a piano part.

Selbstspielende Geige der Firma Mills mit Klavierteil.

Self-playing violin built by Mills with piano part.

Die Papierrollensteuerung und die Verbesserung der Pneumatik erlaubte den Bau immer perfekterer Musikautomaten. Legendär wurden die Reproduktionsklaviere der Freiburger Firma Welte, die weltweit Maßstäbe setzten. Bis dahin waren alle Versuche fehlgeschlagen, die Anschlagdynamik und die feinen Änderungen der Lautstärke, durch die ein menschlicher Pianist ein Klavierstück mit Leben erfüllt, nachzuahmen. Um die Jahrhundertwende erfanden der Musikautomatenfabrikant Edwin Welte und sein Partner Karl Bockisch ein geniales Aufnahmeverfahren, mit dem alle Feinheiten des Klavierspiels festgehalten werden konnten. Die nächste Seite zeigt zwei automatische Klaviere aus dem Wilhelmsbau, die mit dieser Technologie ausgestattet sind.

Paperroll-control and improvement of the pneumatics permitted to build automatic musical instruments that became more and more perfect. A legendary reputation was gained by the player pianos manufactured by Messrs. Welte of Freiburg. Until then, all attempts to copy the dynamic of touch and the subtle changes in volume that are used by a human pianist to make a piece of music come alive, had failed. Around the turn of the century the manufacturer of music automats Edwin Welte and his partner Karl Bockisch invented an ingenious recording procedure which permitted to retain all nuances of piano playing. The following page shows two player pianos from the Wilhelmsbau, that are equipped with Welte's technology.

Oben: Bechstein Flügel mit integriertem Abspielgerät für automatischen Betrieb von Welte. Unten: Steinway Flügel mit einem sogenannten »Vorsetzer« von Welte. Dieser enthält die Abspieleinheit und betätigt anstelle des Pianisten die Klaviertasten und Fußpedale.

Top: Bechstein grand piano with integrated Welte control for automatic playing. Below: Steinway grand piano with a special playback unit (»Vorsetzer«) as a playing device that was put in front of the piano where it activated the keys and foot-pedals in place of the pianist.

Nach 1930 wurden die kleinen Musikautomaten zunehmend durch Radios und Plattenspieler ersetzt. Die großen Instrumente, wie z. B. die Tanzorgeln, die überwiegend in Tanzsälen oder auf Jahrmärkten für Unterhaltung sorgten, wurden dagegen noch viele Jahre weitergebaut. Einer der größten Namen im Großorgelbau war die in Antwerpen / Belgien ansässige Firma Mortier. Die hier gezeigte Mortier Tanzorgel ist mit einer aufwändig verzierten Fassade versehen und befindet sich in einem absolut spielfähigen Zustand.

After 1930 the small automatic musical instruments were replaced more and more by radios and record-players, while the big instruments, like the calliopes, for instance, which used to provide entertainment mainly in dance halls and fun fairs, continued to be built for many years yet. One of the most renowned builders of such large instruments were Messrs. Mortier of Antwerp / Belgium. The Mortier calliope shown here is equipped with an elaborately adorned facade and in absolutely play-worthy condition.

Mit Audio-CD

Musikautomaten, Moden und Uniformen im Technik Museum Speyer

Text deutsch und englisch. Inklusive Audio CD mit 35 populären und klassischen Musiktiteln, gespielt von den schönsten Musikautomaten der Museen Sinsheim und Speyer.

Musikautomaten im Auto & Technik Museum Sinsheim

Text deutsch und englisch. Inklusive Audio CD mit 35 populären und klassischen Musiktiteln, gespielt von den schönsten Musikautomaten der Museen Sinsheim und Speyer.

Auf 192 Seiten mit über 300 Abbildungen präsentiert unser neues Doppelbuch die Musikautomatensammlung in den Technik Museen Sinsheim und Speyer mit technischen und historischen Beschreibungen sowie die Moden- und Uniformausstellung im Wilhelmsbau. Der Text ist zweisprachig deutsch und englisch. Mit enthalten ist eine Audio-CD mit 35 Musiktiteln, gespielt von den schönsten Musikautomaten der Museen. Das Buch ist für 19,90 € in den Museumsshops erhältlich (Tel. 07261/9299-83 • E-Mail: shop@technik-museum.de).

In den oberen Etagen des Wilhelmsbaus erwartet die Besucher eine einzigartige Ausstellung historischer Moden, die von der Gründerzeit der zweiten Hälfte des 19. Jahrhunderts über die sich daran anschließende Epoche des Jugendstils bis in die 1950er Jahre hinein reicht. Zum Teil wurden die Kleidungsstücke auf Flohmärkten aufgefunden, teils auf Auktionen ersteigert und anschließend aufwändig restauriert. Viele der Exponate sind auf Puppen dekoriert die so lebensecht wirken, dass man meint, sie müßten sich im nächsten Moment durch den Raum bewegen. Gemeinsam mit den zahlreichen Accessoires und Gegenständen des täglichen Gebrauchs vermitteln die mit großer Sorgfalt gestalteten Ensembles einen faszinierenden Eindruck von der Lebensart und dem Zeitgeist der jeweiligen Epoche.

Awaiting the visitor on the upper floors of the Wilhelmsbau is a unique exhibition of historic fashion reaching from the second half of the 19th century, over the following Art Nouveau Period, right into the 1950s.

Part of these clothes were found on flee-markets, others were bought at auctions and subsequently restored in laborious work.

Many of the exhibits are decorated on mannequins seeming so lifelike that you would expect them to walk through the room at any moment. Together with the numerous accessories and items of everyday use the carefully composed arrangements are conveying a fascinating impression of the way of life and contemporary spirit of the respective periods.

Ein weiterer Höhepunkt ist die weltweit einzigartige Puppensammlung mit mehreren tausend Künstlerpuppen der unterschiedlichsten Stilrichtungen, die von einer Vielzahl historischer Spielsachen ergänzt wird. Besonders für Jäger interessant ist das Jagdzimmer, in dem zahlreiche Jagdtrophäen aus der ganzen Welt und andere Ausstellungsstücke aus dem waidmännischen Leben gezeigt werden (siehe die beiden folgenden Seiten).

A further highlight is the worldwide unique collection of dolls with thousands of artistic dolls of various different styles augmented by a host of historic toys. Of particular interest for hunters is the hunting room with its exhibits of numerous trophies from all over the world and other objects from a huntsman's life (see the following two pages).

Oben: Jäger mit Ausrüstung für die Winterfütterung. An der Wand Abwürfe von Hirschen. Hirsche werfen jedes Jahr das Geweih ab. Im Jagdzimmer werden alle Abwürfe vom 1. bis zum 13. Jahr gezeigt. Ein Rothirsch erzeugt in 13 Jahren eine Geweihmasse von bis zu 90 kg. Unten: Gebirgshirsch aus dem Karwendel-Gebirge, 24-Ender. An der Wand Abwürfe eines anderen Hirsches.

Top: Hunter equipped for winter feeding. Mounted on the wall are stag castings. Stags are casting their antlers annually. All castings from the 1st through the 13th year are on exhibit in the hunting room. In the course of 13 years a stag generates an antler-mass of up to 90 kg. Bottom: A mountain stag from the Karwendel mountains, 24-pointer. Mounted on the wall are castings of another stag.

Oben: Preußischer Revierförster in Gala-Uniform (Forstoberamtmann). Im Vordergrund Ganzpräparation eines alten Steinbocks aus dem Karwendel-Gebirge, erlegt 2300 m über dem Achensee. Unten: Europäischer Braunbär, 13 Jahre alt, 490 internationale Punkte, aus Rumänien (Rumänien hat heute eine Bärenüberpopulation mit ca. 6000 Braunbären).

Picture on top: Prussian game warden in ceremonial uniform. At the front full-size preparation of an old ibex from the Karwendel-mountains, shot 2,300 m above lake Achensee. Bottom: European brown bear, 13 years old, 490 international points, from Romania (with an approximate number of 6000 animals Romania, these days, is overpopulated with brown bears).

Den krönenden Abschluss des Rundgangs durch den Wilhelmsbau bildet im Obergeschoss die Sammlung historischer Moden, Uniformen, Orden und Waffen, die schwerpunktmäßig im Umfeld der ehemaligen württembergischen und preußischen Armee angesiedelt sind. Begründet wurde die Sammlung vom Fabrikantenehepaar Erwin und Frida Winkler aus Cleebronn in Baden-Württemberg. In über 30-jähriger leidenschaftlicher Sammlertätigkeit wurde sie stetig ergänzt, wobei größter Wert darauf gelegt wurde, alles so originalgetreu wie möglich zu gestalten.

The tour of the Wilhelmsbau culminates in the collection of historic fashion, uniforms, medals and weapons with main emphasis on objects associated with the former armies of Württemberg and Prussia on the top floor. The collection was founded by the industrialist Erwin Winkler and his wife Frida of Cleebronn in Baden-Württemberg. In more than 30 years of ardent collecting it was constantly added to with great efforts to keep everything as true to the original as possible.

Gegenüberliegende Seite unten: General der württembergischen Armee. Oben links: Uniform eines württembergischen Hofbeamten. Oben rechts: Kinderuniform (links) und Offizier vom württembergischen Grenadierregiment Nr. 123 (rechts). Unten: Württembergischer Artillerie-Offizier im Überrock (links) und Württembergischer Dragoner um 1809 (rechts).

Opposite page bottom: General of the Württemberg Army. Top left: Uniform of a courtier of Württemberg. Top right: Children's uniform (left) and officer of the Württemberg Grenadier Regiment No. 123 (right). Bottom: Württembergian artillery-officer in topcoat (left) and Württembergian dragoon, about 1809 (right).

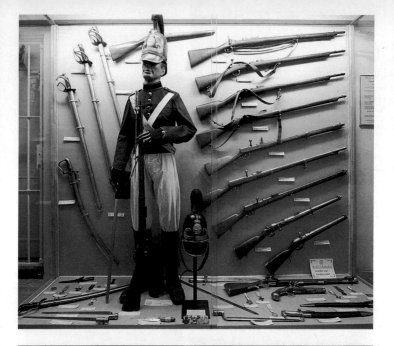

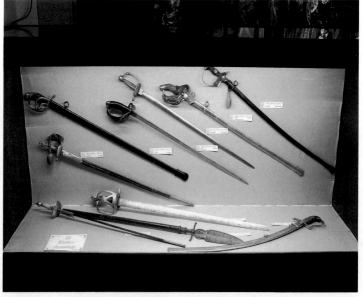

Vitrinen mit Uniformen und historischen Waffen aus der Sammlung Winkler.
Showcases with uniforms and historical weapons from the Winkler collection.

Werden Sie Mitglied im Förderverein.

Unsere Museen werden von einem gemeinnützigen Verein mit weltweit mehr als 2 000 Mitgliedern getragen. Ziel des Vereins ist es, die technischen Kulturgüter der Nachwelt zu erhalten, und das Interesse an technischen Entwicklungen zu fördern. Gerne würden wir auch Sie als Mitglied im Förderverein begrüßen. Mit Ihrer Mitgliedschaft erwerben Sie nicht nur viele Vorteile sondern helfen uns auch, das Museum in der Zukunft noch attraktiver zu gestalten.

Vorteile für Einzel- oder Familienmitglieder des Fördervereins Auto & Technik Museum Sinsheim e. V.:

- **Unbeschränkt kostenloser Eintritt** in das Auto & Technik Museum Sinsheim und das Technik Museum Speyer
- **Ermäßigung beim Besuch der IMAX Filmtheater** und beim Kauf von Geschenk-Eintrittskarten für Freunde und Bekannte
- 20% Ermäßigung beim Besuch unserer Gastronomie (außer auf Eis und Süßigkeiten)
- 15% Ermäßigung beim Einkauf in unseren Museumsshops (außer auf Bücher)
- Sonderpreise im Hotel am Technik Museum Speyer und im Hotel Sinsheim
- Angebote über interessante Museumsreisen gehen Ihnen kostenlos zu
- Sie werden Mitglied einer riesigen Sammlerfamilie
- **Die Mitgliedsbeiträge sind als Spende steuerlich abzugsfähig**

Über die Vorteile von Firmen-Mitgliedschaften informieren wir Sie gerne auf Anfrage.

Interessiert? Dann füllen Sie einfach die nebenstehende Beitrittserklärung aus und schicken Sie diese an die angegebene Adresse.

Förderverein Auto & Technik Museum Sinsheim e.V.
Museumsplatz • 74889 Sinsheim
Tel. 07261 / 9299-10 • E-Mail: info@technik-museum.de
www.technik-museum.de

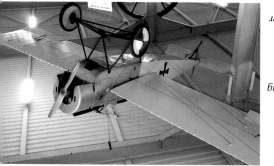

Oben: Flugzeugausstellung in der Halle 1. Rechts: Fokker »E III« Eindecker von 1915.

Top: Aircraft exhibition in Hall 1. Right: 1915 Fokker »E III« monoplane.

In der Flugzeughalle (Übersichtsplan Punkt 6) zeigt das Museum zahlreiche Flugzeuge und Hubschrauber aus den unterschiedlichsten Epochen, darunter weltberühmte Raritäten wie die Heinkel He-111, die Junkers Ju-52, Ju-87 und Ju-88, die Me-109, die Focke-Wulf FW-190, die Mig-15 und viele mehr.

In the airplane hall (survey plan point 6) the Museum is showing numerous planes and helicopters from various different periods, among them world-famous rarities like the Heinkel He-111, the Junkers Ju-52, Ju-87 and Ju-88, the Me-109, the Focke-Wulf FW-190, the Mig-15, and many more exhibits.

Oben: Mercedes-Benz LKW von 1954. Mitte: Opel »Blitz« LKW von 1952. Links: Opel »Blitz« LKW mit Holzvergaser aus dem 2. Weltkrieg.

Top: 1954 Mercedes-Benz truck. Center: 1952 Opel »Blitz« truck. Left: Opel »Blitz« truck with wood gas producer from WW II.

79

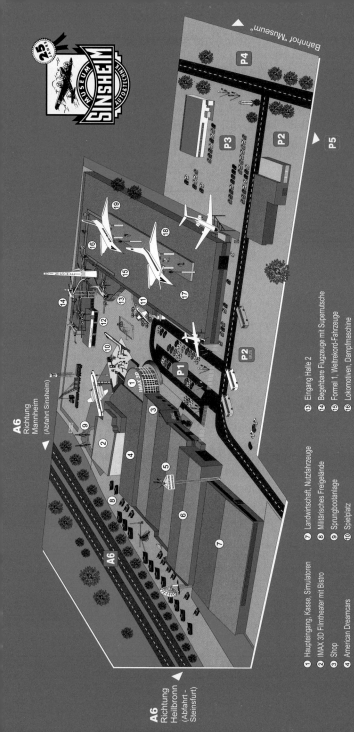

A6
Richtung
Mannheim
▲ (Abfahrt Sinsheim)

A6
Richtung
Heilbronn
(Abfahrt -
Steinsfurt)
▲

MUSEUM SINSHEIM AUTO & TECHNIK
25 Jahre

Bahnhof „Museum"
▲

P4
P3
P2
P5 ▲

P2
BUS

P1

① Haupteingang, Kasse, Simulatoren
② IMAX 3D Filmtheater mit Bistro
③ Shop
④ American Dreamcars
⑤ Militärabteilung, Afrika-Gruppe
⑥ Flugzeughalle
⑦ Landwirtschaft, Nutzfahrzeuge
⑧ Militärisches Freigelände
⑨ Sprungbootanlage
⑩ Spielplatz
⑪ Restaurant „Museum"
⑫ Restaurant „Airport"
⑬ Eingang Halle 2
⑭ Begehbare Flugzeuge mit Superrutsche
⑮ Formel 1, Weltrekord-Fahrzeuge
⑯ Lokomotiven, Dampfmaschine
⑰ Oldtimer, Luxusautos, Sportwagen, Motorräder, Maschinen u. Motoren
⑱ Begehbares Überschallflugzeug TU 144 (Russische Concorde)
⑲ Begehbares Überschallflugzeug „Air France Concorde"

25 Jahre Auto & Technik Museum Sinsheim

Es ist uns eine große Freude, Ihnen zum 25-jährigen Jubiläum des Auto & Technik Museum Sinsheim eine Sonderausgabe unseres Museumsführers präsentieren zu können, der nicht nur die Ausstellungen beschreibt sondern auch einige der wichtigsten Ereignisse der Museumsgeschichte Revue passieren lässt.

Begonnen hat alles im Spätjahr 1980. Bei einem Treffen begeisterter Technik-Liebhaber wurde die Idee geboren, die oft in jahrelanger Kleinarbeit restaurierten Schmuckstücke einem breiten Publikum zugänglich zu machen. Kurz entschlossen wurde ein Museumsverein gegründet und nur wenige Monate später öffneten sich am 6. Mai 1981 erstmals die Tore zu einer damals 5 000 qm großen Ausstellungsfläche. **Heute kommen jährlich mehr als 1 Million Besucher nach Sinsheim** um auf über 30 000 qm Hallenfläche und einem großen Freigelände Sensationen der Technik zu erleben, die in dieser Vielfalt einzigartig sind. **Vom Traktor bis zur Concorde ist alles bei uns vertreten.**

Seit der Anfangszeit wird das Museum vom gemeinnützigen **Auto & Technik Museum e.V.** getragen, dem mittlerweile rund **2000 Mitglieder aus der ganzen Welt** angehören. Die Finanzierung erfolgt seit der Gründung allein aus Mitgliedsbeiträgen, Spenden und den Eintrittsgeldern. Alle Überschüsse werden zum Ausbau des Museums verwendet. **Mitglied kann bei uns jeder werden** der sich für Technik interessiert und Freude an dem hat, was wir tun. Auch **Firmen** und **Institutionen** sind in unserem Verein **willkommen**. Einen **Aufnahmeantrag** und weitere Informationen finden Sie **am Ende dieses Museumsführers**.

Zum riesigen Erfolg haben die Vereinsmitglieder entscheidend beigetragen, von denen mehr als 90 unser Museum vom ersten Tag an begleitet haben. Viele Großaktionen der letzten Jahre wie der Erwerb der Tupolev 144 und der »Concorde« wäre ohne unser Mitglieder-Netzwerk kaum möglich gewesen. Außerdem werden **viele Veranstaltungen** wie die **Heidelberg-Historic-Rallye**, die jedes Jahr im Juli stattfindet, oder das **Motorrad-Klassiker-Treffen mit Steilwand-Show** im Oktober vom Museumsverein organisiert.

Auch das Museumskonzept, das sich ganz an den Bedürfnissen der Besucher orientiert, ist im ständigen Dialog mit den Vereinsmitgliedern entstanden. Im Gegensatz zu anderen Museen sind die Ausstellungen bei uns nicht nach wissenschaftlichen Kriterien gegliedert, sondern möglichst abwechslungsreich gestaltet. Auf diese Weise erleben die Besucher beim Rundgang durch die Museumshallen ständig etwas Neues. **Zahlreiche Sonderausstellungen** und der häufige Austausch von Exponaten, die zumeist **Leihgaben von privaten Eigentümern** sind, sorgen dafür, dass es bei uns niemals langweilig wird.

Familienfreundlichkeit wird im Museum groß geschrieben. Auf unserem Freigelände bieten wir **Spielmöglichkeiten für Kinder** und in den **Restaurants** können Sie bei einem guten Essen das Gesehene nochmals Revue passieren lassen, oder sich für einen weiteren Rundgang stärken. Eine Weltsensation ist das **IMAX 3D Filmtheater**, in dem Sie auf einer gigantischen, 20x27 Meter großen Leinwand dreidimensionale Filme erleben können. **Als absolute Neuigkeit zeigt das IMAX 3D zu jeder vollen Stunde die Landung der Museums-Concorde auf dem Baden Air Park.** Doch damit genug der Vorrede. Wir alle vom Museum wünschen Ihnen jetzt viel Spaß bei Ihrem Rundgang.

25 Years Auto & Technik Museum Sinsheim

It is a great pleasure for us to present to you this special edition of our museum guide which not only describes our exhibitions but also summarizes some of the most important events of the Museum's history.

Everything started in late 1980. On occasion of a meeting of ardent technology fans the idea was born to offer a wide public access to those treasures that had been restored, often in years of painstaking attention to detail. A Museum Society was founded on the spur of the moment and but few months later the doors to an exhibition area of then 5,000 sqm opened for the first time on 6 May 1981. Today, **more than 1 Million visitors come to Sinsheim each year** to experience legends of technological history of unprecedented variety on an indoor area of more than 30,000 sqm and vast open air grounds. **Our exhibits are ranging from objects like a tractor up to the Concorde.**

From the outset the Museum was sponsored by the **Auto & Technik Museum e.V.**, a non-profit-making organization that today has roughly **2,000 members from all over the world**. Since its foundation financing of the museum is based on membership subscriptions, donations and the admission charges exclusively. All surplus funds are applied to the advancement of the Museum. **Everyone who is interested in technology and enjoys what we are doing can become our member**. **Companies** and **institutions** are also **welcome** as members of our organization. You will find a **membership application** together with further information **at the end of this museum guide**.

The members of our society, of which more than 90 have accompanied the Museum from its first days, played a decisive role in creating the huge success. Many major actions of the last years, like the acquisitions of the »Jumbo Jet«, the Tupolev 144, and the »Concorde«, would have hardly been possible without our membership-network. Apart from that, **many events** like the **Heidelberg-Historic-Rally** taking place in July of each year, or the **Motorbike-Classic-Meeting with wall-of-death show** in October is being organized by the members of the Museum Society.

Even the Museum's concept, which is orientating closely to the requirements of our visitors, was created in constant dialogue with the members of our organization. Contrary to the concepts of other museums, our exhibitions are arranged to offer a wide variety, rather than adhering to academic criteria. This way, when touring the halls of our Museum, you are constantly experiencing new impressions. **Numerous special exhibitions** as well as a frequent exchange of exhibits, mostly on **loan from private owners**, take care of diversion and entertainment on each and every new visit to our Museum.

Family orientated features are important to us. In our open air grounds we are offering **playgrounds for children** and in our **restaurants** you have the possibility to relive the highlights of your visit while enjoying a meal, or to recharge your batteries for a further tour. A world sensation is the **IMAX 3D** movie theater, where you can enjoy the experience of three-dimensional movies on a giant 20 x 27m screen. **Every hour on the hour the IMAX 3D is showing the touch-down of our Museum's Concorde at the Baden Air Park, as a new attraction**. But let's be done with introductions now. Have fun, and all of us here hope that you enjoy your tour of the Museum.

6. Mai 1981: Feierliche Eröffnung des Auto & Technik Museum Sinsheim.

6 May 1981: Grand opening of the Auto & Technik Museum Sinsheim.

1982: Ankunft der »Blue Flame«.

1982: Arrival of the »Blue Flame«.

1983: Der weithin sichtbare »Growian« Windflügel, eines der Wahrzeichen des Museums, wird aufgestellt.

1983: The widely visible »Growian« rotor blade, one of the landmarks of the museum, is erected.

6

1984: Nach aufwändiger Restaurierung spielt die Mortier-Tanzorgel zum ersten Mal im Museum Sinsheim.

1984: First performance of the Mortier dance organ in the Museum Sinsheim after extensive restoration.

1988: Ein T-34 Panzer rollt auf eigener Kette ins Museum.

1988: A T-34 tank is driving into the Museum on its own chains.

1988: Die Luftfahrtausstellung wird um eine DC-3 und einen Boeing »Vertol« Hubschrauber erweitert.

1988: The aviation exhibition is complemented by a DC-3 and a Boeing »Vertol« helicopter.

1988: Nach ihrer letzten Landung auf dem Flugplatz Speyer wird die Iljuschin 14 mit einem Hubschrauber der Bundeswehr nach Sinsheim transportiert.

1988: After its last touch down at the airfield in Speyer, the Iljuschin 14 is transported to Sinsheim by a helicopter of the German Bundeswehr.

7

*1988: Aufbau der komplett re-
staurierten J. A. Maffei Schnellzuglokomotive.*

*1988: Installation of the completely
restored J. A. Maffei fast train locomotive.*

*Nach der Aufstellung wurde
die Halle um die Lokomotive
herum gebaut.*

*After installation the hall was
built around the locomotive.*

*1988: Gestaltung der »Af-
rika-Gruppe« innerhalb der
Militärausstellung.*

*1988: The »Africa Group«
is arranged within the military exhibition.*

*1989: Die Tupolev 134 wird zerlegt auf einem Tieflader von Manching in der Nähe
von Ingolstadt ins Museum transportiert.*

*1989: The Tupolev 134 was disassembled and transported on a special trailer from
Manching near Ingolstadt to Sinsheim.*

Seit 1990 zeigt das Museum Sinsheim die größte permanente Formel-1-Ausstellung Europas.

Since 1990, the Museum Sinsheim presents the largest permanent Formula-1-exhibition in Europe.

Ebenfalls seit 1990 treffen sich die Freunde der Spur-1-Modelleisenbahnen jedes Jahr im Juni im Museum Sinsheim.

Likewise, since 1990, gauge 1 model train enthusiasts get together every June in the Museum Sinsheim.

1993: Übertragung des ZDF-Sonntagskonzerts aus dem Museum.

1993: A concert event of the German television is broadcasted from the Museum.

1995: Eröffnung der permanenten Sonderausstellung »American Dream Cars«.

1995: Opening of the permanent special exhibition »American Dream Cars«.

1995: Direkt beim Museum wird ein eigener Haltepunkt der Bundesbahn eingerichtet.

1995: A special train stop in direct neighbourhood of the museum is opened.

1996: Eröffnung des ersten IMAX 3D Filmtheater Deutschlands im Museum Sinsheim.

1996: Opening of the first IMAX 3D movie theater in Germany in the Museum Sinsheim.

1997: Das Museum beteiligt sich an der Oldtimer Rallye »Peking - Paris«.

1997: The Museum participates in the vintage car rally »Peking - Paris«.

1998: Das Museum produziert den ersten deutschen IMAX-Großformatfilm mit dem Titel »Klassiker«. Der Film wird täglich kostenlos in den IMAX Filmtheatern gezeigt.

1998: The Museum produces the first German IMAX large format film titled »Klassiker«. The movie is shown daily in the IMAX movie theaters (admission free).

1999: Auf dem Freigelände werden eine Bootsprunganlage und eine riesige, 33 Meter lange Rutschbahn aufgebaut.

1999: A jumpboat installation and a gigantic 33 meter long slide are set up in the open air grounds.

1999: Eröffnung der Huschke von Hanstein Gedächtnisausstellung. Der 1996 verstorbene »Rennbaron« war das erste Ehrenmitglied des Museumsvereins.

1999: Opening of the exhibition in memory of Huschke von Hanstein. The »Racing Baron«, who died in 1996, was the first honorary member of the Museum Society.

2000: In einem sensationellen, mehrwöchigen Megatransport wird die Tupolev 144 von Moskau nach Sinsheim gebracht.

2000: In a sensational transport that took several weeks, the Tupolev 144 is brought from Moscow to Sinsheim.

11

2001: Pünktlich zum 20-jährigen Museumsjubiläum wird die Tupolev 144 auf das Dach der Halle 2 gestellt.

2001: In time for the 20th anniversary of the museum the Tupolev 144 is installed on the roof of Hall 2 of the Museum.

2002: Der Dachbereich der Halle 2 wird für die Besucher begehbar gemacht.

2002: The roof area of Hall 2 is made accessible for the visitors.

2003: Am 24. Juni landet die »Museums Concorde« Air France F-BVFB auf dem Baden Airpark in der Nähe von Karlsruhe.

2003: On 24. May the »Museums Concorde« Air France F-BVFB lands at the Baden Airpark near Karlsruhe.

2003 / 2004: Nach der Demontage der Flügelspitzen und des Leitwerks wird die »Concorde« auf dem Land- und Wasserweg nach Sinsheim transportiert und am 17. März 2004 neben der Tupolev 144 auf das Dach der Halle 2 gesetzt.

2003 / 2004: After disassembly of the wing tips and the tail unit the »Concorde« was transported by land and sea to Sinsheim and placed on the roof of Hall 2 besides the Tupolev 144 on 17 March 2004.

2005: Ein riesiges begehbares »Canadair« Löschflugzeug wird gegenüber der »Concorde« aufgebaut.

2005: A giant »Canadair« fire plane that is open to the public is installed opposite to the »Concorde«.

2005: Einweihung des 4* »Hotel Sinsheim« in direkter Nachbarschaft zum Museum.

2005: Opening of the 4 »Hotel Sinsheim« directly adjacent to the Museum.*

Prominente zu Besuch im Auto & Technik Museum Sinsheim

Lothar Späth

Peter Kraus

Joey Kelly

Manfred Rommel

DJ Bobo

Felix Baumgartner

Helmut Kohl

Celebrities on visit in the Auto & Technik Museum Sinsheim

Günther Oettinger

Siegfried & Roy

Eberhard Gienger

Walter Röhrl

Bernd Rosemeyer

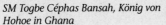

SM Togbe Céphas Bansah, König von
Hohoe in Ghana

Starten wir nun zu einem Rundgang durch das Museum. Wir würden Ihnen vorschlagen, in der Halle 2 zu beginnen, in der die meisten Oldtimer, Renn- und Sportwagen, Motorräder und Lokomotiven ausgestellt sind. Außerdem gelangen Sie von hier direkt zur »Concorde« und der Tupolev 144 sowie zur Dachterasse mit dem »Flight Deck«. Die Halle 2 befindet sich gegenüber dem Foyer, in dem Sie Ihre Eintrittskarte gelöst haben. Eine gute Orientierungshilfe auf Ihrem Weg bietet der Übersichtsplan auf der Seite 1 dieses Führers. Das Foyer ist der Punkt 1, der Eingang zur Halle 2 der Punkt 13.

In diesem kurz gefassten Museumsführer können wir leider nur auf wenige ausgewählte Exponate hinweisen. Umfassende Informationen erhalten Sie in unserem großen Museumsbuch, dass wir im Museumsshop für Sie bereit halten.

Let's start now for a tour of the Museum. Our suggestion would be to start in Hall 2 housing most of the vintage-, racing- and sports cars, motorbikes and locomotives. Besides, this is the direct way to the »Concorde« and the Tupolev 144 as well as to the roof terrace with the »Flight Deck«. Hall 2 is situated directly opposite to the lobby where you have obtained your admission ticket. A good assistance to direct your on your tour is the survey plan on page 1 of this guide. The lobby is marked as point 1, the entry to Hall 2 as point 13.

To our regret, this brief guide to the Museum permits us to point out a few exceptional exhibits only. Comprehensive and detailed information for you are contained in our big Museum Book that you will find in our Museum Shop.

Direkt im Eingangsbereich der Halle 2 zeigt das Museum eine sensatio-
nelle Sammlung von Original-Raumanzügen und anderen Astronauten-
Ausrüstungen. Schräg rechts finden Sie ein historisches E-Werk, das von
1929 bis 1961 mittels einer Heißdampfmaschine den Strom für eine
Papierfabrik lieferte. Rechts dahinter befindet sich der vordere Eingang

zur Lokomotivenhalle, in der Sie u.a. zwei der legendären »Krokodil« Gebirgslokomotiven bewundern können (Übersichtsplan Punkt 16). Weitere Lokomotiven finden Sie in den großen Museumshallen.

In the lobby of hall 2 the museum presents a spectacular collection of space suits and other astronaut equipment. Diagonally behind you will find a historic electric power station, which was providing electricity for a paper mill from 1929 through 1961 by means of a superheated steam engine. Behind it, to the right is the front entry to the locomotive hall, where – among other exhibits – you can admire two of the legendary »Crocodile« mountain locomotives (point 16 in the survey plan). Further locomotives can be found in the big Museum's Halls.

Links: Gebirgslokomotive »Krokodil« aus der Schweiz in der Lokomotivenhalle. Unten: Güterzug-Dampflokomotive in der Halle 2.

Left: mountain locomotive »Crocodile« from Switzerland in the hall of locomotives. Below: Freight train steam locomotive in hall 2.

Historisches E-Werk mit Dampfmaschine.

Historical electrical power station with steam engine.

Verlassen Sie nun die Lokomotivenhalle durch den hinteren Ausgang. Sie befinden sich jetzt im vorderen Teil der Halle 2. Über die Treppe unmittelbar neben dem Ausgang gelangen Sie auf die Aussichtsgalerie, die einen hervorragenden Überblick bietet. Von hier aus erschließt sich Ihnen die ganze Vielfalt der gezeigten Exponate am besten. In diesem Teil der Museumshalle finden sich im wesentlichen neben Flugzeugen und Motorrädern Oldtimer, Renn- und Rekordfahrzeuge, Sportwagen und die Formel-1-Ausstellung. Auf die beiden letzteren Abteilungen werden wir gleich noch etwas genauer eingehen. Zunächst möchten wir aber Ihre Aufmerksamkeit auf die riesige Tanzorgel links unterhalb der Aussichtsgalerie lenken (siehe Bild Seite 12), denn diese Art von technischer Rarität wird Ihnen in unserem Museum noch öfters begegnen.

You are leaving the locomotive hall by the rear exit and are now in the front section of Hall 2. The staircase immediately adjacent to the exit will bring you to the observation gallery and an excellent view of the exhibition. This is the best vantage point to observe the exhibits in all their variety. Besides airplanes and motorbikes this Museum Hall, essentially, is housing historic-, and racing cars, record-breaking

vehicles and the Formula 1 exhibition. We will presently revert in more detail to the latter two categories. First of all, however, we would like to draw your attention to the giant calliope on the left, below the observation gallery (see picture page 12), for you will meet with this kind of technological curiosity again more than once in our Museum.

Eine besondere Spezialität des Museums sind die zahlreichen selbst-spielenden Orgeln und Großorchestrien, die in den Hallen ausgestellt sind. Das oben gezeigte Instrument links unterhalb der Aussichtsgalerie ist die größte Tanzorgel der Welt mit über 900 Pfeifen, gebaut von der belgischen Firma Mortier. Neben dem Orgelteil verfügen die meisten dieser Orchestrien über viele zusätzliche Instrumente. Das Klangvolumen ist entsprechend gewaltig. Gesteuert werden die Instrumente über einen überdimensionalen Karton-Lochstreifen. Die meisten Orgeln können Sie in Betrieb setzen und sich von der Musik verzaubern lassen.

A particular specialty of the Museum are the numerous self-playing organs and orchestrions on exhibit in the various halls. The above instrument situated on the left below the observation gallery is the biggest calliope worldwide with more than 900 pipes, built by the Belgian Mortier company. Besides the organ component, most of these orchestrions are equipped with numerous additional instruments. The volume of sound is accordingly powerful. These instruments are being controlled via an oversized cardboard punch-tape. You can set most of the organs going to let them play their music for your enjoyment.

22

Oben: Hooghuys Orgel (Foyer Halle 1). Rechts: Aeolian Grand Konzertorgel (Halle 1). Unten links: Decap Großorchestrion (Halle 1). Unten rechts: Decap Großorchestrion (Halle 2).

Top: Hooghuys Organ (Foyer Hall 1). Right: Aeolian Grand concert organ (Hall 1). Below left: Decap orchestrion (Hall 1). Below right: Decap orchestrion (Hall 2).

Kehren wir nun nach diesem kurzen Ausflug in die Welt der schö-nen Künste zurück in die Halle 2, wo wir einer ganz anderen Art von Klangerzeugern aus Leichtmetall und Fiberglas begegnen. Aston Martin, Jaguar, Ferrari, Lamborghini, Porsche - Wer kennt sie nicht, diese Ikonen des Automobilbaus. In unserer Sportwagenabteilung können Sie viele der schönsten Boliden, die jemals die Werkshallen dieser Edelschmieden verlassen haben, aus nächster Nähe begut-achten. Nur wenigen wird es jemals vergönnt sein, einmal in einem solchen Traumwagen die ungestüme Kraft von 500 oder mehr PS zu erleben. Aber ein wenig davon träumen kann man ja.

But after this brief excursion into the world of fine art, let us now return to Hall 2 to meet a totally different kind of generators of sound, built of light metal and fiber glass. Aston Martin, Jaguar, Ferrari, Lamborghini, Porsche – who does not know these icons of automobile manufacture. In our sports car department you can examine many of the most beautiful specimen that ever left the workshops of these noble forges close up. But few of us will be granted the experience to feel the reckless power of 500 hp or more. But you can always take time out for a little daydreaming.

Gegenüberliegende Seite: Ferrari »Enzo« und Mercedes-Benz SLR McLaren (oben) und Vector Twin Turbo (unten). Oben: Mercedes-Benz 300 SL. Rechts: Ferrari 342 »America«. Unten links: Jaguar E-Type Roadster. Unten rechts: Lamborghini »Miura«.

Opposite page: Ferrari »Enzo« und Mercedes-Benz SLR McLaren (top) and Vector Twin Turbo (bottom). Top: Mercedes-Benz 300 SL. Right: Ferrari 342 »America«. Below left: Jaguar E-Type Roadster. Below right: Lamborghini »Miura«.

Gleich neben den Sportwagen erwartet Sie eine weitere außergewöhnliche Attraktion: Die größte permanente Formel-1-Ausstellung Europas (Übersichtsplan Punkt 15). Seite an Seite sehen Sie hier die legendären Rennmaschinen, mit denen sich die größten Formel-1-Fahrer der letzten Jahrzehnte unvergessliche Duelle geliefert haben. McLaren, Lotus, Williams, Benetton, ehemals pilotiert von Alain Prost, Nigel Mansell, Michael Schumacher oder dem unvergessenen Ayrton Senna - alle sind sie vertreten. Sogar ein Exemplar des legendären sechsrädrigen Tyrrell von 1976 kann in unserer Ausstellung bewundert werden.

Immediately next to the sports cars another exceptional attraction is awaiting you: The largest permanent Formula 1 Exhibition in Europe (survey plan point 15). Side by side you can see the legendary racers that served the most prominent Formula-1-drivers of the last decades to put up their memorable duels. McLaren, Lotus, Williams, Benetton, formerly piloted by Alain Prost, Nigel Mansell, Michael Schumacher or the unforgotten Ayrton Senna – they are all represented here. You can even admire a specimen of the legendary six-wheel Tyrrell of 1976 in our exhibition.

Oben: Sechsrädriger Tyrrell P 34 von 1976 (links) und March 761 von 1976 (rechts). Mitte: Benetton-Renault B 195 von 1995 (Weltmeisterschafts-Fahrzeug von Michael Schumacher). Unten: Der Ferrari F310 mit dem Michael Schumacher 1996 die erste Saison für den italienischen Rennstall bestritt.

Top: 1976 Tyrrell P 34 with six wheels (left) and 1976 March 761 (right). Center: 1995 Benetton-Renault B 195 (Championship car of Michael Schumacher). Below: The Ferrari F310 piloted by Michael Schumacher during his first season for the Italian team in 1996.

Möchten Sie mehr über unsere Museen erfahren?

Dann ist unser neues Museumsbuch genau das Richtige für Sie. Das Museumsbuch ist ein Doppelbuch, das die Museumsbücher Sinsheim und Speyer in einem Band vereint. Auf 416 Seiten mit über 800 Abbildungen und ausführlichen Texten in deutsch und englisch werden die schönsten Exponate aus den Museen Sinsheim und Speyer dargestellt. Das Museumsbuch ist in den Museumsshops sowie in allen Buchhandlungen für nur € 9,90 erhältlich (ISBN 3-9809437-2-0).

Do you wish to learn more about our Museums?

Then our new Museums Book is the right thing for you. The Museums Book is a double book which combines the Museums Books Sinsheim and Speyer in a single issue. On 416 pages with more than 800 pictures and extensive descriptions in German and English in presents the most beautiful exhibits from the technic museums in Sinsheim and Speyer. It is available in our museums shop and in book stores for only € 9,90 (ISBN 3-9809437-2-0).

Museumsshop Technik Museen Sinsheim & Speyer
Tel. 07261/9299-83 • Fax 9299-88
E-Mail: shop@technik-museum.de

Oben: Mercedes 22/50 von 1914 (links) und Fiat 510 Spider von 1919 (rechts). Rechts: Peugeot »Vis-á-vis« von 1892.

Top: 1914 Mercedes 22/50 (left) and 1919 Fiat 510 Spider (right). Right: 1892 Peugeot »Vis-á-vis«.

Links: Ein Blick auf die Mercedes-Sammlung im hinteren Teil der Halle 2. Bild gegenüberliegende Seite: Viele interessante Fahrzeuge finden sich auch auf der Galerie entlang der Hallenwand.

Left: A view over the Mercedes collection in Hall 2. Picture opposite page: Many interesting vehicles can also be found on the gallery along the hall wall.

Im Auto & Technik Museum Sinsheim werden ständig über 300 Oldtimer aus allen Epochen gezeigt. Das Spektrum der Exponate reicht hierbei von den Anfängen des Automobils bis in die Neuzeit und umfasst von der Motorkutsche des ausgehenden 19. Jahrhunderts bis zu den Luxusautomobilen von Maybach, Mercedes und Rolls-Royce nahezu alles, was jemals auf Rädern die Straßen der Welt befahren hat. Die meisten Ausstellungsstücke sind voll fahrbereite Leihgaben von Mitgliedern unseres Museumsvereins, die häufig gefahren und daher oft ausgetauscht werden. Die Ausstellung ist daher im wahrsten Sinne des Wortes ständig in Bewegung. Für unsere Besucher bietet dies den Vorteil, dass es immer

31

wieder etwas Neues zu entdecken gibt. Eine weitere Abwechslung bieten die zahlreichen, einer speziellen Marke gewidmeten Sonderausstellungen sowie die Oldtimer-Ausfahrten, die von unseren Vereinsmitgliedern organisiert werden. Aktuelle Informationen über Sonderausstellungen und andere Aktionen finden Sie auf unseren Internetseiten unter der Adresse www.technik-museum.de.

More than 300 vintage cars from all epochs are constantly on exhibition at the Auto & Technik Museum Sinsheim. They are ranging from the beginning of the early automobiles up to present day models, and are comprising nearly everything that ever set wheels on the roads of this world, from the motor-carriage from the end of the 19th century up to the luxury cars of Maybach, Mercedes and Rolls-Royce. Most of the exhibits are roadworthy specimen on loan from members of our Museum Society, which are being exercised on a regular basis and frequently exchanged. The exhibtion, therefore, is constantly in motion in the true sense of the word. For our visitors this has the advantage of ever new discoveries. Further diversions are offered by numerous special exhibitions devoted to particular brands as well as vintage-car-rallies organized by the members of our society. For current-affairs information about special exhibitions and other events, please visit us in the internet under www.technik-museum.de.

Oben (von links): Merce-
des-Benz 300 SL, 190 SL
Cabrio und 300 D. Rechts:
Columbia Elektro-Automobil
von 1900 (links) und Mors
Kettenwagen von 1898
(rechts).

Top (from left): Mercedes-
Benz 300 SL, 190 SL
and 300 D. Right: 1900
Columbia car with electro
engine (left) and 1898 Mors
car with gasoline engine and
chain drive (right).

Links: Rolls-Royce »Sil-
ver Ghost« von 1923.

Left: 1923 Rolls-Royce
»Silver Ghost«.

33

Links: Brasier Stadtcoupé von 1908. Unten: Ford T-Modell Speedster von 1912.

Left: 1908 Brasier city coupé. Below: 1912 Ford Model-T Speedster.

Links: NSU 8/40 von 1914. Unten: Bugatti Typ 57 »Ventoux« von 1933.

Left: 1914 NSU 8/40. Below: 1933 Bugatti Typ 57 »Ventoux«.

Die Mercedes Sammlung - The Mercedes Collection

Oben: Mercedes-Benz 770 K Limousine (links) und Cabriolet (rechts) von 1943 bzw. 1938. Links: Mercedes-Benz 500 K von 1934.

Top: 1943 Mercedes-Benz 770 K Sedan (left) and 1938 Cabriolet (right). Left: 1934 Mercedes-Benz 500 K.

Oben: Mercedes-Benz 540 K von 1938. Links: Mercedes-Benz 630 von 1928.

Top: 1938 Mercedes-Benz 540 K. Left: 1928 Mercedes-Benz 630.

Rechts: Mercedes-Benz SS »Schwarzer Prinz« von 1928. Unten: Mercedes-Benz 380 K von 1934.

Right: 1928 Mercedes-Benz SS »Black Knight«. Below: 1934 Mercedes-Benz 380 K.

Einer der Höhepunkte der Oldtimer-Ausstellung im Auto & Technik Museum Sinsheim ist die Sammlung historischer Mercedes-Automobile, die sich überwiegend im hinteren Teil der Halle 2 befindet (Übersichtsplan Punkt 17). Neben vielen anderen Modellen können die Besucher hier nicht weniger als 16 der legendären Mercedes-Kompressor-Fahrzeuge u.a. der Baureihen S, SS und SSK aus den 1920er und 1930er Jahren bewundern, natürlich alle fahrbereit. Gemeinsam mit den Maybach-Limousinen repräsentierten sie in dieser Zeit die absolute Spitze des Automobilbaus, sowohl was die Qualität als auch was den Preis betraf. Den Gegenwert eines Einfamilienhauses in bester Lage musste man damals anlegen, wenn man einen solchen Traumwagen erwerben wollte.

One of the highlights of the and vintage car exhibition at the Museum Sinsheim is the collection of historic Mercedes automobiles, housed mainly in the rear part of Hall 2 (survey plan point 17). Here, in addition to many other models, our visitors can admire no less than 16 of the legendary Mercedes compressor-cars, among them specimen of the S, SS and SSK series from the 1920s and 1930s, all of them, of course, in running order. Together with the Maybach-limousines they are representing the absolute top class of contemporary automobiles, as far as both, their quality and their price was concerned. To be able to acquire a dream car of this kind you had to invest the equivalent of a family home in a first-class location.

Die Maybach-Sammlung - The Maybach Collection

Von 1921 bis 1941 entanden bei Maybach Automobile, die tech-
nologisch weltweit führend waren. Sie gehörten stets zum besten,
aber auch zum teuersten, was sich auf vier Rädern bewegte. Das
Spitzenmodell war der »Zeppelin«, von dem nur ca. 200 Exemplare
gebaut wurden. Nur wenigen war es vergönnt gewesen, ein Maybach-
Automobil zu besitzen. Während der 20 Produktionsjahre wurden nur
rund 1800 Fahrzeuge gefertigt, wobei Maybach immer nur den Motor
und das Fahrgestell lieferte. Die besten Karosseriebauer wetteiferten
darum, auf der Basis der Maybach-Chassis immer neue Traumwagen
zu erschaffen. Im Museum kann vorwiegend in der Halle 2 eine der
weltweit größten Maybach-Sammlungen besichtigt werden, die u.
a. den ältesten noch fahrbereiten Maybach-Wagen beinhaltet, einen
»W5 SG« von 1928.

From 1921 through 1941 Maybach was building automobiles with first-
ranking technology worldwide. They were always among the best, but
also the most expensive fast movers on four wheels. Their top model
was the »Zeppelin« of which only about 200 specimen were built. But
few people were in a position to own a Maybach automobile. In the
course of their 20 years of production they produced no more than
about 1800 vehicles, with Maybach always providing only the engine
and the chassis. The best coachbuilders competed for the honor of
creating constantly new dream cars, based on a Maybach chassis. At
the Museum, mainly in Hall 2, one of the greatest Maybach collections
worldwide can be viewed, comprising among other models also the
oldest, still roadworthy Maybach automobile, a »W5 SG« of 1928.

*Oben: Maybach »W5 SG«
von 1928, der älteste noch
fahrbereite Maybach der
Welt. Links: Maybach »Zeppelin DS 8« von 1938.*

*Top: 1928 Maybach »W5
SG«, the oldest Maybach car
in the world in roadworthy
condition. Left: 1938 Maybach »Zeppelin DS 8«.*

*Rechts: Maybach »SW 38«
Cabriolet von 1937. Unten:
Maybach »Zeppelin DS 7« von
1930.*

*Right: 1937 Maybach »SW
38« Convertible. Below: 1930
Maybach »Zeppelin DS 7«.*

39

Das Automobil ist immer auch Sportgerät gewesen und besonders während der Anfangszeit des Automobilbaus hat die extrem hohe Beanspruchung des Materials, den der Renneinsatz mit sich bringt, ganz wesentlich zur technologischen Weiterentwicklung beigetragen. Den Rennwagen ist daher im Museum ein breiter Raum gewidmet. Viele Beispiele für Rennfahrzeuge der unterschiedlichen Epochen finden sich sowohl in der Halle 2 als auch in der Halle 1. Besonders hervorzuheben sind dabei die Rennwagen von Bugatti, die viele Jahre lang die Rennstrecken der Welt beherrscht haben.

The automobile has always been figuring as an item of sports equipment as well, and in the early days of automobile manufacture, in particular, the extremely stringent wear and tear materials were subjected to under racing conditions acted as considerable contribution to technological development. Racing cars, therefore, are granted a wide space in the Museum. Numerous examples for racing vehicles of different periods

Oben (von links): Bugatti Rennwagen Typ 57 (Bj. 1938), Typ 37 (Bj. 1926) und Typ 35 (Bj. 1930). Links: Alvis Spezial-Renn- wagen von 1953.

Top (from left): Bugatti racing cars Typ 57 (1938), Typ 37 (1926) and Typ 35 (1930). Left: 1952 Alvis special racing car.

40

Der Bugatti Typ 57 bei einer Winter-Rallye Anfang Januar in Österreich. - The Bugatti Type 57 during a winter rallye in Austria early in January.

can be found in both Hall 2 and Hall 1. In this connection the Bugatti racers, the rulers of racing tracks of the world over many years, deserve special mention.

Oben und links: American La France »Funkenblitz« von 1907. Der Wagen hat 1997 an der Veteranen-Rallye von Peking nach Paris teilgenommen.

Top and left: 1907 American La France »Funkenblitz«. In 1997 this car participated in the classic cars rallye from Peking to Paris.

Oben und links: Mercedes-Benz SSK von 1929. Der »SSK« war zwischen 1928 und 1931 einer der weltweit besten Rennwagen.

Above and left: 1929 Mercedes-Benz SSK. Between 1928 and 1931 the »SSK« was one of the most successful racing cars in the world.

Oben: Porsche 911 GT1
»Le Mans« von 1998.
Rechts: Porsche 718 RS
60 »Spyder« von 1960.
Unten: Porsche 956 /
962 von 1985.

Top: 1998 Porsche 911
GT1 »Le Mans«. Center:
1960 Porsche 718 RS 60
»Spyder«. Below: 1985
Porsche 956 / 962.

Rallye-Boliden, Dragster, Monster-Trucks und Fun-Mobile mit zwei, drei, oder vier Rädern – die Grenze zwischen ernsthaftem Motorsport und dem blanken Spaß an dröhnenden Motoren und verbranntem Gummi zum reinen Selbstzweck ist hier fließend. In den beiden Museumshallen sind alle Kategorien vertreten, denn spektakulär sind diese Fahrzeuge in jedem Fall.

Rally-cars, dragsters, monster-trucks and fun-mobiles on two, three or four wheels – the borderline between serious motor sports and sheer enjoyment of roaring engines and burnt rubber for the sake of the fun of it is certainly fluctuating. In the Museum all categories of this spectacular type of vehicles are represented.

Oben: Rallye-Gruppe in der Halle 2. Rechts: KTM 660 Rallye (Siegermotorrad der »Rallye Paris - Dakar« 2001).

Top: Rallye group in Hall 2. Right: KTM 660 Rallye (original winner's bike of the »Rallye Paris - Dakar« 2001).

Einige Beispiele für die zahlreichen Dragster und Fun-Mobile im Auto & Technik Museum Sinsheim. Es gibt fast nichts, was es hier nicht zu sehen gibt.

Some examples of the numerous dragsters and fun cars on exhibit in the Auto & Technik Museum Sinsheim. There is almost nothing that cannot be seen here.

The Blue Flame

Eine ganz besondere Sensationen im Museum Sinsheim ist das Rekordfahrzeug „The Blue Flame", das schnellste raketengetriebene Landfahrzeug
aller Zeiten. Am 7. Oktober 1970 stellte der Amerikaner Gary Gabelich
mit dieser Kreuzung aus Auto und Rakete auf dem Bonneville-Salzsee mit
einer Durchschnittsgeschwindigkeit von 1001,671 km/h einen phantasti-
schen Weltrekord auf. Der Name für das Rekordfahrzeug war durchaus
zutreffend. Als Treibstoff diente nämlich eine höchst explosive Mischung
aus flüssigem Erdgas und Wasserstoffsuperoxyd, welches die „Blue Flame"
auf einem blauen Feuerstrahl vorantrieb.

A very special sensation at the Museum Sinsheim is the record breaking
vehicle »The Blue Flame«, the fastest rocket-propelled land vehicle of all
times. With this cross between car and rocket the American Gary Gabelich
set a fantastic world-record with an average speed of 1001.671 km/h at the
Bonnneville salt lake on 7 October 1970. The name of this record breaking
vehicle was absolutely
fitting since the fuel used
was a highly explosive
mixture of a natural gas
liquid and hydrogen
peroxide that propelled
the »Blue Flame« on a
blue jet of fire.

Sicher sind Ihnen bereits die zahlreichen Motorräder aufgefallen, die in unserem Museum ausgestellt sind. Ca. 200 zweirädrige Veteranen warten in beiden Museumshallen darauf, von Ihnen entdeckt zu werden. Darunter befinden sich zahlreiche Raritäten, von denen weltweit nur noch ganz wenige Exemplare existieren. Wie die Automobile sind auch fast alle Motorräder voll fahrbereite Leihgaben privater Sammler und Liebhaber, die häufig ausgetauscht werden.

You have certainly already noticed the numerous motorbikes on exhibition in our Museum. About 200 two-wheel veterans are waiting in both halls of the Museum to be discovered by you. Among them many rarities of which very few specimen only are still existing worldwide. Just as the automobiles, almost all of the motorbikes are in full running order on loan from private collectors and fans, and exchanged on a regular basis.

Oben: Zwei »Mars« Motorräder mit Maybach-Motor aus den 1920er Jahren (oben). Darunter: Einrad-Motorrad von 1910.

Top: Two »Mars« motorbikes with Maybach engines from the 1920s. Below: One wheel motorbike built in 1910.

Oben: BMW R32 von 1923, das erste BMW-Motorrad. Rechts: Brough »Superior SS 100« von 1936.

Top: 1923 BMW R32, the first motorbike built by BMW. Right: 1936 Brough »Superior SS 100«.

Links: Zwei seltene »Böhmerland« Motorräder. Unten: Horex S35 von 1936.

Left: Two rare »Böhmerland« motorbikes. Below: 1936 Horex S35.

TAGEN UND FEIERN SIE IN UNSEREN MUSEEN

- In den Museen Sinsheim und Speyer bieten wir in einer einmaligen Umgebung einen perfekten Service für Veranstaltungen aller Art, von der Familienfeier bis zur Firmenpräsentation.

- Eigene Restaurants mit abtrennbaren Bereichen für geschlossene Gesellschaften, Kaffee-, Getränke- und Gebäckservice. Die Museumshallen können für Empfänge genutzt werden.

- In Sinsheim und Speyer stehen insgesamt sechs Tagungsräume, zwei Veranstaltungshallen und das »Forum im Technik Museum« für bis zu 350 Personen zur Verfügung. Spezielle Tagungstechnik auf Anfrage.

- Komfortable Übernachtungsmöglichkeiten bieten das Hotel am Technik Museum Speyer mit 105 Zimmern sowie das Hotel Sinsheim mit 106 Zimmern und sechs Suiten.

- Rufen Sie uns an und schildern Sie uns Ihre Wünsche. Wir beraten Sie gerne (Technik Museum Speyer Tel. 06232 / 6708-43; Auto & Technik Museum Sinsheim Tel. 07261 / 9299-75).

Das »Flight Deck«

Zum Abschluss Ihres Rundgangs durch die Halle 2 sollten Sie es auf keinen Fall versäumen, das »Flight Deck« zu besuchen, denn hier erwartet Sie nicht nur eine fantastische Aussicht sondern auch eine weltweit einmalige Sensation: Begehbare Flugzeuge in Flugposition die Sie nirgendwo sonst so hautnah erleben können. Die Hauptattraktionen sind die beiden Passagier-Überschallflugzeuge »Concorde« und Tupolev 144. Beide Flugzeuge sind voll begehbar und können von der Museumshalle aus über Wendeltreppen direkt erreicht werden (Übersichtsplan Punkte 18 und 19). Eine weitere Wendeltreppe führt direkt am Halleneingang auf das »Flight Deck« (Übersichtsplan Punkt 13). Von der hier aufgestellten DC 3 können Wagemutige über eine 33 Meter lange Personenrutsche wieder zurück in den Eingangsbereich gelangen. Direkt neben dem Halleneingang befindet sich unser Museumsrestaurant, wo Sie sich vor der zweiten Hälfte des Rundgangs stärken können.

To conclude your tour through Hall 2 you should not omit a visit to the »Flight Deck«, for awaiting you here is not only a fantastic view but also a unique sensation: Fully accessible airplanes in flight position which you cannot get up to so close anywhere else. Main attraction are the two supersonic passenger airliners »Concorde« and Tupolev 144. The interior of both planes is can be visited. They can be reached directly from the Museum Hall via a spiral staircase (survey plan points 18 and 19). A further spiral staircase, starting at the hall entrance, is leading directly to the »Flight Deck« (survey plan point 13). From the DC 2 located here daring visitors can return to the entry area via a 33 m long people slide. Right next to the entrance to the hall you will find our Museum Restaurant where you can fortify your stamina for the second half of the tour.

Das gibt es nur im Auto & Technik Museum Sinsheim: Die beiden einzigen jemals in Serie gebauten Überschall-Passagierflugzeuge der Welt, die russische Tupolev 144 (oben) und die französisch/britische »Concorde« (nächste Seite), in direkter Nachbarschaft, in Flugposition und voll begehbar. Die Landung der »Concorde« am 24. Juni 2003 auf dem Flughafen Karlsruhe / Baden-Baden und der darauf folgende Transport in das Museum Sinsheim gehörten zu den größten Medienereignissen des Jahres. Zehntausende Schaulustige säumten noch spät nach Mitternacht die Autobahn, als sich der Jahrhunderttransport in Schrittgeschwindigkeit zum Museumsgelände bewegte. Sicher verankert auf einer 70 Tonnen schweren Stahlkonstruktion, die in einem Fundament aus 1200 Tonnen Stahlbeton eingebettet wurde, thront die »Concorde« jetzt über der Halle 2. Der Aufstieg in die »Concorde« führt die Besucher auf bis zu 30 Meter Höhe und ist mit Sicherheit einer der ganz besonderen Höhepunkte des Museumsrundgangs.

To be found nowhere else but at the Auto & Technik Museum Sinsheim: The only two supersonic, series produced commercial aircraft of the world, the Russian Tupolev 144 (top) and the French/British »Concorde« (next page) next to each other, in flight position and fully accessible inside and out. The touch down of the »Concorde« on 24 June 2003 on the Karlsruhe/Baden-Baden airport and the subsequent transport to the Museum Sinsheim were among the greatest media events of the year.

Tens of thousands of spectators were lining up along the Autobahn, even long after midnight as the transport of the century was crawling along towards the Museum grounds at walking speed. Safely secured upon a steel construction of 70 tons, imbedded in a foundation of 1200 tons of ferroconcrete the »Concorde« is now standing above Hall 2 in solitary splendor. The ascent into the »Concorde« is elevating the visitors to a height of up to 30 meters and is definitely one of the special highlights in the tour of the Museum.

Direkt unterhalb der »Concorde« befindet sich eine hochmoderne Sonnenenergie-Anlage, die vom Museum gemeinsam mit der Firma Würth Solar in Marbach errichtet wurde. Die bei der Anlage aufgestellten Tafeln erläutern die Technik der Erzeugung von Strom aus Sonnenlicht und informieren über die aktuelle Leistung der Anlage.

Directly below the »Concorde« you can find a state-of-the-art solar energy plant which was erected by the museum in co-operation with the Würth Solar Company located in Marbach near Sinsheim. Several displays explain how electric energy can be generated from sunlight and inform about the current performance of the plant.

58

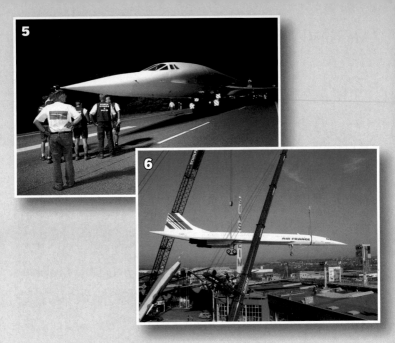

Die letzte Reise der AIR FRANCE Concorde F-BVFB

1. Landung auf dem Flughafen Karlsruhe / Baden-Baden.
2. Nach der Demontage der Flügelspitzen und des Leitwerks wird der Flugzeug-rumpf auf einen Tieflader verladen.
3. Transport zur Nato-Rampe am Rhein bei Söllingen.
4. Nach der Verladung auf einen Lastenponton wird die Concorde auf dem Rhein Richtung Speyer transportiert. Die restlichen 50 km zum Auto & Tech-nik Museum Sinsheim mußten auf der Strasse zurückgelegt werden.
5. Der Transport auf der gesperrten Autobahn konnte nur in der Nacht erfolgen. Durchschnittsgeschwindigkeit: 5 km/h.
6. Nach dem Zusammenbau wurde die Concorde am 23. April 2004 auf das Museumsdach gehoben.

The Last Travel of the AIR FRANCE Concorde F-BVFB

1. Landing at the airport Karlsruhe / Baden-Baden.
2. After removal of the wing tips and the tail unit, the fuselage was loaded on a special trailer.
3. Transport to the NATO-ramp at the Rhine near Söllingen.
4. After loading on a heavy-load pontoon, the Concorde is transported on the Rhine towards Speyer. The last 50 km of the transport to the Auto & Technik Museum Sinsheim had to be performed on the street.
5. The transport over the closed highway could only be done during night. Aver-age speed: 5 km/h.
6. Upon assembly the Concorde was hoisted on the Museum's roof on 23 April 2004.

Museumshalle 1 - Museums Hall 1

Über das Freigelände geht es jetzt zurück in das Foyer, wo Sie Ihren Rundgang begonnen haben (Übersichtsplan Punkt 1). Sicher ist Ihnen schon zu Beginn aufgefallen, dass unser Foyer weit mehr ist als nur eine Eingangshalle. Hier finden Sie z.B. unseren Shop mit Museumsartikeln wie dem Museumsbuch, der Museums-CD-ROM, Geschenk- und Ansichtskarten, Videos, Büchern, Modellen und vielem mehr, ein Bistro, Fahrsimulatoren und, nicht zuletzt, eine der ganz großen Attraktionen des Museums: Das IMAX 3D Filmtheater, in dem Sie dreidimensionale Filme auf einer gigantischen Leinwand erleben können.

Via the open air grounds you now return to the lobby where you started your tour (survey plan point 1). We trust that you already noticed right at the beginning that our lobby is far more than a mere entrance hall. Among the facilities you will find here are our shop with items from our Museum, as e.g. the Museum Book, the Museum-CD-ROM, gifts and picture post cards, videos, books, models, and a lot more, a bistro, driving simulators, and last but not least one of the major attractions of the Museum: The IMAX 3D movie theater where you can enjoy the experience of three-dimensional movies on a giant screen.

Oben: Die Museumshalle 1.
Rechts: Unser Museumsshop.
Unten: Das IMAX 3D Filmtheater
zeigt dreidimensionale Filme auf
einer gigantischen Leinwand.

Top: The Museums Hall 1. Right:
Our Museums Shop. Below: The
IMAX 3D movie theater shows
three dimensional movies on a
gigantic screen.

IMAX® 3D
MUSEUM SINSHEIM
Das größte Filmerlebnis der Welt!

IMAX 3D Filmtheater Sinsheim

- Eine der größten Leinwände der Welt (22 x 27m)
- Beste 3D Film- und Tonqualität (22.000 Watt Tonsystem)
- Direkt auf dem Museumsgelände, Filmstart zu jeder vollen Stunde
- Der Film spielt sich im ganzen Kinosaal ab, nicht nur auf der Leinwand
- Die Grenze zwischen Film und Wirklichkeit verschwindet
- **IMAX 3D** - Faszinierend!

Programm: 07261 / 9299-50 • Reservierung: 9299-0

Aktuelle Filme

Steigen Sie ein und begleiten Sie ein internationales Astronauten-Team zur spektakulärsten Baustelle der Menschheitsgeschichte: Der internationalen Raumstation ISS. FSK: Frei ohne Altersbeschränkung.

„Geister der Titanic" von Starregisseur J. Cameron zeigt in atemberaubender 3D-Filmtechnik Bilder aus dem Innersten der „Titanic", die seit über 90 Jahren kein menschliches Auge mehr gesehen hat. FSK: Frei ohne Altersbeschränkung.

Reisen Sie zurück in die Kreidezeit und erleben Sie einen Tyrannosaurus Rex und andere Urzeittiere in Lebensgröße auf der gigantischen IMAX-Leinwand. FSK: Frei ab 6 Jahren.

Tauchen Sie ein in die fantastische Unterwasserwelt des Pazifik. Farbenprächtige Korallenfische und verspielte Seelöwen erwarten Sie. FSK: Frei ohne Altersbeschränkung.

Einmalig: Zu jeder vollen Stunde landet die Concorde im IMAX 3D!

69

Eine Spezialität des Museums sind die zahlreichen Puppen-arrangements mit historischen Moden und Accessoires in den Museumshallen.

A specialty of the museum are the numerous arrangements with mannequin dolls, historic fashion and accessories in the museum halls.

Viele Neuerungen, insbesondere auch im Fahrzeugsektor, haben ihren Ursprung im militärischen Bereich. Die einzigartige militärhistorische Ausstellung in der Halle 1 erlaubt den Besuchern, die technischen Entwicklungen zu verfolgen und die in unterschiedlichen Ländern eingeschlagenen Wege zu vergleichen. Angeschlossen ist auch ein Bereich in dem gezeigt wird, wie ehemalige Militärfahrzeuge nach Kriegsende zivil genutzt wurden. Falls Sie an Militärtechnik interessiert sind sollten Sie es auch auf keinen Fall versäumen, die Ausstellung auf dem Freigelände zu besuchen.

Many innovations, particular as far as the development of motor vehicles is concerned, are tracing their origins back to the military field. The unique exhibition of military history in Hall 1 offers visitors the opportunity to pursue the technological developments and to compare

the various approaches taken in different countries. Attached is also a section showing how former military vehicles were used for civil purposes after the end of the war. If you are interested in military technology you should definitely be sure to visit the exhibition in the open air grounds.

Gegenüberliegende Seite: »Afrika-Gruppe« (oben) und VW Käfer (Militärausführung) von 1943 (unten).

Diese Seite: Krauss-Maffei Halbketten-Zugmaschine (oben), Zündapp Kraftrad KS 750 (Mitte), VW Schwimmwagen Typ 166 (unten).

Opposite page: »Africa-Group« (top) and 1943 VW Beetle (military version; below).

This page: Krauss-Maffei half track towing vehicle (top), Zündapp motorbike KS 750 (center), VW amphibious car type 166 (below).

Gegenüberliegende Seite: Deutsches Sturmgeschütz 40 Ausführung »G« (oben), Horch Einheits-PKW SdKFZ 18 (Mitte) und französischer Versorgungspanzer »Chenilette« (unten).

Diese Seite: Deutscher Kampfpanzer »Panther« (oben) und deutsche Sturmhaubitze 42 mit 10,5 cm Kanone L 28 (unten).

Opposite page: German tank howitzer 40 model »G« (top), Horch military personnel vehicle SdKFZ 18 (center) and French supply tank »Chenilette« (bottom).

This page: German combat tank »Panther« (top) and German tank howitzer 42 with 10.5 cm gun L 28 (bottom).

Oben: DEMAG 1 Tonnen Halbketten-Zugmaschine. Mitte: Panzerkampfwagen IV. Unten: Militärausstellung auf dem Freigelände.

Top: DEMAG 1 ton half track towing vehicle. Center: German Tank IV. Below: Military exhibition in the open air grounds.

74

Die Bilder auf dieser Seite zeigen zwei Beispiele für die zivile Nutzung von Militärfahrzeugen nach Kriegsende. Oben: NSU Kettenkrad. Rechts: Willy's Jeep.

The pictures on this page show examples for the use of military vehicles for civilian purposes after the end of the war. Top: NSU half track motorbike. Right: Willy's Jeep.

75

Die Sammlung historischer Traktoren und Zugmaschinen, die in den beiden Museumshallen gezeigt wird, ist weltweit berühmt. Einmalig sind insbesondere die zahlreichen Lanz-Bulldogs sowie die amerikanischen Traktoren u.a. von Fordson, John Deere und McCormick vom Beginn des letzten Jahrhunderts, die die Landwirtschaft revolutioniert haben. Weitere Highlights sind die mit Dampf betriebenen Motorpflüge, Lokomobile, Straßenwalzen und Zugmaschinen, die man in dieser Vielfalt in kaum einem anderen Museum zu sehen bekommt, sowie die voll funktionsfähige, durch Wasserkraft angetriebene Gattersäge von 1870, die im Museum aufgebaut wurde.

The collection of historic tractors and towing vehicles on exhibit in the two Museum Halls is world-famous. Of particular singularity are the numerous Lanz-Bulldogs as well as the American tractors, among others by Fordson, John Deere and McCormick from the beginning of the last century, which brought a revolution to farming. Further highlights are the steam-propelled motor-plows, locomobiles, roadrollers and towing vehicles which can hardly be found in this variety in any other museum, as well as the frame-saw of 1870, operated by water-power and still in good working order, which was installed at the Museum.

*Gegenüberliegende Seite: Dampfbetrie-
bene Zugmaschine von 1917. Rechts:
Lanz Bulldog von 1921. Unten (von
links): McCormick-Deering Traktor von
1920, John-Deere Traktor von 1925,
Hart-Parr Traktor von 1915.*

*Opposite page: 1917 steam powered
towing vehicle. Right: 1921 Lanz
tractor. Below (from left to right) 1920
McCormick-Deering tractor, 1925
John-Deere tractor, 1915 Hart-Parr
tractor.*

*Unten: Mit Wasser-
kraft betriebene Gat-
tersäge von 1870.*

*Below: 1870 water
powered framesaw.*

Insbesondere im hinteren Teil der Halle 1 zeigt das Museum viele historische LKWs und spektakuläre Spezialfahrzeuge wie die oben abgebildete, 25 Tonnen schwere Planierraupe von Caterpillar Baujahr 1956, die noch heute voll einsatzbereit ist.

In particular in the back of Hall 1 the museum shows many historic trucks and spectacular special purpose vehicles like the 25 tons heavy Caterpillar bulldozer displayed at the top. Built in 1956 it is still fully operational.

Rechts: Opel 4-Tonnen-LKW aus der Zeit kurz vor dem 1. Weltkrieg.

Right: Opel 4 tons truck from the time shortly before WW I.